Nelson Camp

acheté au plein, lu en juillet, 2014

Très heureux d'avoir
trouvé ce livre à
Falaise,
Calvados,
Normandie
en voyage avec
Christophe et
Alice

Librairie de
Falaise

ELLE MARCHAIT
SUR UN FIL

PHILIPPE DELERM

ELLE MARCHAIT SUR UN FIL

roman

ÉDITIONS DU SEUIL
25, bd Romain-Rolland, Paris XIVᵉ

IL A ÉTÉ TIRÉ DE CET OUVRAGE VINGT-CINQ EXEMPLAIRES
DONT VINGT EXEMPLAIRES DE VENTE
ET CINQ HORS COMMERCE NUMÉROTÉS DE H.C. I À H.C. V
CONSTITUANT L'ÉDITION ORIGINALE

ISBN 978-2-02-105652-5 (éd. brochée)
ISBN 978-2-02-117153-2 (éd. de luxe)

© Éditions du Seuil, avril 2014

www.seuil.com

Elle avait mis un disque de Georges Delerue. Musiques des films de Philippe de Broca. *Chère Louise*, *L'Africain*, *Tendre poulet*... Des films qu'elle avait vus pour la plupart. Pas tous. Elle se souvenait des *Caprices de Marie*. Elle avait aimé ce type de comédies un peu dédaignées par la critique, drôles, mélancoliques, légères. Mais peu importe qu'on ait vu le film ou pas. On ne le connaît pas assez pour associer une mélodie à une séquence. Ce qui est émouvant, c'est d'imaginer que cette musique fut écrite pour illustrer une scène précise, un moment du destin qui n'avait plus besoin de dialogues, de paroles. On comprenait ce que vivait le personnage en le voyant marcher dans une rue, regarder longuement la façade d'une villa, ou bien s'en éloigner. Et maintenant, en écoutant l'album, on ne savait plus de quelle scène il s'agissait, et c'était encore beaucoup plus fort ainsi. Il lui semblait que ce mouvement était dédié à l'énergie même de la vie, au risque pur de s'élancer vers un amour, un chagrin, un début d'apprentissage, une fin. Cela donnait l'idée rassurante que chaque vie mérite sa musique.

Simplement, quand il s'agit de soi, il faut la faire sourdre du silence ou de la confusion de la rue, de l'ineptie des tâches administratives, de la sonnerie du téléphone portable qu'on n'a pas oublié de fermer par hasard. On n'est jamais tout à sa joie, à sa tristesse. La musique de Delerue alternait des séquences de nostalgie et d'allégresse. C'était du cinéma, bien sûr, mais on prononçait toujours cette phrase avec un ton péjoratif, comme si le cinéma était l'opposé de la vie. En retrouvant le thème des *Caprices de Marie*, elle pensait que c'était le contraire. La musique sur des pare-brise embués, des affiches décollées, la musique qui vient ton sur ton s'accorder à la pensée, irriguer le décor, c'était cela la vraie vie.

Elle adressa un sourire amusé à sa solitude nouvelle, tout en haut de la vieille maison, face à la mer. Après tout, son cas relevait bien d'une musique de film. La femme mûre quittée par l'homme de sa vie, et qui revient dans une maison où ils ont été heureux ensemble. Pas trop de violons, pitié. Elle arrêta le disque. C'était la pièce à musique, à lecture. Les deux baffles hauts et minces faisaient très design 1970. Sous le plafond mansardé, la fenêtre s'allongeait en arrondi, presque au niveau du plancher. On avait arraché la moquette, mais gardé les larges blocs de mousse recouverts de tissus bariolés, témoins d'un art de vivre à ras de terre lui-même assez daté. Allongé là, on pouvait voir la courbe de la baie jusqu'au cap, la succession des plages et les moutonnements de lande, en contrebas le port du Fahouët.

Des piles de bouquins partout, les rayonnages blancs soumis aux proportions réduites de l'espace s'étant vite révélés insuffisants. Curieusement, les souris ne s'attaquaient pas aux livres, focalisant leur appétit sur un type unique de textile : les sangles des stores. Certaines avaient été complètement ron-gées durant l'hiver, notamment celles du salon, au rez-de-chaussée : un éventail lamentable balafrait le bow-window donnant sur la baie.

La chasse aux souris. Voilà le genre de tâches romantiques auxquelles elle avait dû se livrer dès le premier jour de son retour ici. Lancer la chaudière à gaz n'avait pas été une petite affaire. Les nuits d'avril restaient encore très froides et la veilleuse était bouchée. Il y avait comme un défi à affronter, seule et tutélaire, les mille et une rébellions de la maison abandonnée depuis l'été. Avant, ils faisaient toujours un saut au début de l'automne pour les grandes marées. Ou bien un week-end imprévu en plein hiver – allez, on y va ! Là, s'il n'y avait eu le coup de fil de sa petite-fille Léa...

– Oh ! oui, Marie, toutes les deux, la deuxième semaine de mes vacances de Pâques !

Elle aimait bien que Léa l'appelle Marie. Plus encore depuis le départ de Pierre. N'importe quel nom à consonance officielle rappelant son statut de grand-mère eût souligné la fêlure nouvelle. Mais en disant « Marie », Léa ne nommait pas le quart de ses grands-parents. Et puis cela lui semblait plus conforme à ce rapport entre elles. Elles avaient toujours été complices, mais Marie était aussi accompagnatrice, emmenant Léa au cheval, au théâtre, au Club Mickey sur la plage. Léa avait neuf ans maintenant. Depuis deux ans, Marie avait beaucoup moins le sentiment de *l'emmener*. Les activités devenaient peu à peu prétexte à de longues conversations sérieuses, avec de grands rires, mais surtout un ton étonnamment juste et facile pour parler ensemble, presque jamais de soi. Le désir de Léa était venu juste à point, comme par hasard, pour justifier un retour dans la maison du Fahouët.

Elle sortit, poussa le petit portail de bois peint en blanc. Oui, il y avait déjà de la roquette sur la plate-bande rase. Elle en suça une feuille, retrouvant l'amertume revigorante qui attendait quelques secondes pour s'éveiller dans la bouche. Elle se recula un peu, mains aux hanches. Étrange maison double, si haute, parfaitement symétrique, dont la moitié droite seule leur appartenait. Sur la partie gauche, le panneau « à vendre » était insoutenable. Ainsi leur vieux voisin André avait-il mis en application ce programme qui semblait venir à ses lèvres l'été précédent comme une coquetterie faite pour susciter des réactions offusquées :

– Mais si. Un moment arrive où tout devient trop difficile. Il y a une excellente maison de retraite à Rennes. Je n'embêterai plus personne...

Ça s'était fait très vite. Tant de choses s'étaient faites très vite cette année. Alors, finis ces petits apéros alternatifs devant la mer avec le rite d'échange de disques de musiques du monde :

– Bévinda, vous verrez, Marie, c'est autre chose

que Cristina Branco. Un fado solaire, libre dans la forme, j'aime beaucoup.

C'est au mois d'août que Marie avait pu faire partager à André son enthousiasme pour Richard Bona.

– C'est merveilleux, Marie, cette voix qui semble venir à la fois du chant grégorien et des profondeurs de la jungle.

Bien sûr, elle irait à *La Petite Madeleine*. Ils avaient bien ri ensemble de ce nom, emblématique des euphémismes enrobant l'extrême vieillesse. Elle apporterait à André le dernier Richard Bona. Mais elle savait que ce serait lugubre, que les couloirs sentiraient le désinfectant, qu'André jouerait son rôle – Regardez comme je suis bien installé – avec une tristesse au coin de l'œil. C'était comme pour sa mère. Jusqu'au dernier moment, on se flatte de l'idée que l'on pourra finir ses jours chez soi, dans une gravité cotonneuse, un ensommeillement des gestes, lové dans ses bouquins. Et puis *cela n'est plus possible* : il y a ce soubresaut clinique, cette alliance de chambre désertique et de promiscuité fétide, ce faux entrain bien trop brutal et familier des infirmières. André. Plus rien de lui que sur sa table de chevet le volume souple de *La Recherche*, et sur une petite étagère une quinzaine de

CD – une ouverture lumineuse sur le monde au fond du grand trou blanc. Elle savait trop. Mais elle irait.

L'apéro traînait. On proposait à André de rester pour le dîner sur la terrasse, les bougies allumées, avec les provisions du bord – du pain, j'en ai, et même un camembert, je vais le chercher. Il revenait avec en sus une bouteille de rosé. Quand la nuit commençait vraiment, que des lumières lointaines dessinaient la baie de Saint-Brieuc, André et Marie avaient si souvent parlé de Proust, un pull sur les épaules. Pierre jouait les béotiens – jamais rien compris à ça, trop intello pour moi – et partait fumer son cigare sur le sentier des douaniers. Un jour, Marie avait offert à André le livre d'Alain de Botton *Comment Proust peut changer votre vie*. Deux jours après, il l'avait fini :

– Ah ! oui, Marie, comme Proust peut changer la vie ! Et comme c'est rafraîchissant de voir un esprit jeune vous confirmer que *La Recherche* est pour toujours moderne, inépuisable ! C'est comme d'en parler avec vous. Je ne suis plus un vieux bonhomme en fin de vie, mais un passager de Proust. Moi qui ne crois plus aux romans ! Mais *La Recherche* n'est pas un roman.

Ils avaient vraiment cette idée en commun. Marie se rappelait ces fastidieux cours universitaires où

La Recherche était présentée dans son aspect balzacien, la conquête du faubourg Saint-Germain, la cathédrale parfaitement structurée. Ce qu'elle aimait échanger avec André, c'était tout le contraire, ces pépites étonnantes qui éclairaient différemment le monde, donnaient un autre regard sur ce qu'on avait le droit de penser des choses. L'odeur « poisseuse et fruitée » du couvre-lit à fleurs de tante Léonie, la « sonorité mordorée du nom de Brabant », qui annonçait au narrateur que le château et la lande où évoluait Geneviève sur les plaques de la lanterne magique étaient jaunes. Mille fulgurances paradoxales qu'ils avaient l'un et l'autre entassées au fond de leur poche comme de minuscules pierres philosophales pour changer le chemin.

Elle avait bien fait rire André en lui racontant son expérience, quand elle s'était inscrite aux « Amis de Marcel Proust ». C'était juste un an auparavant. Le déplacement en car à Illiers-Combray, la lecture sous la pluie du passage sur les aubépines *in situ*, devant le groupe rassemblé comme pour une commémoration funèbre, la réticence des membres du club à faire courir uniquement la conversation sur leur idole. Du coup, la convivialité obligatoire prenait un petit air suranné – comparaison du menu du restaurant

14

avec celui de l'année précédente, pessimisme clima-
tique, haltes prostatiques durant le trajet. Le côté
déplacement troisième âge avait complètement pris
l'ascendant sur l'atmosphère proustienne, et Marie, le
rosé aidant, avait déployé une vraie virtuosité pour
évoquer son odyssée. Un des derniers bons moments
avec André. Et puis voilà. Un panneau à vendre et
un autre comique proustien qui la faisait moins rire.
La Petite Madeleine.

En trois jours, elle avait bien avancé ses préparatifs
pour la venue de Léa. Elle s'autorisa une grande balade
à pied. Le sentier des douaniers dévalait jusqu'au port
du Fahouët. Quelques chalutiers, mais peu de bateaux
de plaisance encore. Elle contourna le port, reprit de
l'autre côté le chemin qui grimpait la colline et, tout
en haut, découvrait la plage immense de Ploërquy.
Elle descendit sur la digue, étonnamment déserte. Elle
aimait bien cette mélancolie des stations balnéaires
qui ne vivent que l'été. Aucun roller, aucune bicyclette,
aucun joggeur sur la large promenade surplombant
la mer. À sa droite, les grandes maisons familiales
étaient presque toutes fermées, volets blancs tirés.
Elles appartenaient pour la plupart à des Parisiens
ou des Rennais, dynasties d'une bourgeoisie cossue,
souvent catholique pratiquante. L'été, les enfants

descendaient seuls sur la plage dès neuf heures, parfois avec une jeune fille au pair. Un grand-père en
pantalon de marin coq de roche et pull bleu Saint
James les surveillait vaguement depuis la terrasse,
assis sur un transat. Mais il n'y avait pas de danger.
Plus tard les parents apparaissaient, et tout le monde
s'élançait pour un premier bain tonique. Il y avait
toujours des hésitants du dernier moment, les orteils
rétractés à la frange de l'écume, et les audacieux leur
lançaient le sempiternel encouragement à connotation
moralisante : « Quand on est dedans, elle est bonne ! »
Concerts de jazz dans le parc du château tous les
mardis soir, tournoi de tennis, foulées pédestres du
Quatorze Juillet, la station avait ses rites, ses réfé-
rences confortables. Des enfants bien élevés faisaient
des châteaux de sable, échangeant des phrases d'un
registre très soutenu. Beaucoup d'Arthur, de Louise,
de Pierre-Henri. Aucun Kevin, aucune Vanessa. Seul
le tournoi de volley de la fin juillet bousculait un peu
tout cela, envahissant la plage avec une faune sportive
mais aussi libérée, sono trop forte. On sentait alors
par contraste combien l'essence de la station devait
au silence et à la discrétion sexuelle.

Devait aussi au prestige du casino qui dominait la
digue, en retrait de la rotonde, au plein milieu de la

plage. Là, pas de morte saison. Toutes les boutiques alentour avaient beau baisser pavillon, les machines à sous continuaient d'aimanter les rêves ou les désœuvrements des retraités, des endettés de toute la région. Est-ce parce qu'une petite pluie s'était levée avec la marée descendante ? Marie poussa la porte-tambour de ce paradis moquetté. À l'intérieur, une bouffée de chaleur et de lumière l'accueillit avec tous les bling-bling des enfilades de bandits manchots. Marie jouait rarement, avec des amis, en plaisantant – j'ai gagné assez pour vous payer une glace, j'arrête ! Il y avait plus d'une place libre, mais cela ne la tenta pas. Elle avança doucement dans les allées, s'arrêtant çà et là pour regarder un joueur – certains, sentant une présence, lui jetaient vite un regard excédé par-dessus l'épaule, comme si son attention risquait de leur porter la guigne, ou de percer un secret.

Un joueur. Une joueuse. Les femmes dominaient. Les plus jeunes avaient son âge, et ça pouvait aller jusqu'à plus de quatre-vingts ans. Des femmes qui conduisaient encore leur voiture. Des femmes seules, beaucoup de veuves, sûrement. Permanentées, avec du bleu. Le regard dur, le geste machinal. Aucune aménité possible, aucune distraction. Elles jouaient à vingt centimes ou à cinquante. Longtemps. Les clignotements américano-kitsch des machines semblaient déphasés avec leurs imperméables austères, leurs petits sacs à main. Mais peu importait le décor. Elles jouaient vite. Pas la moindre lueur au fond de l'œil, le moindre geste de satisfaction quand elles gagnaient. Une impavidité morbide.

Marie se sentit frissonner. Ce n'était pas la mouillure de l'averse sur son pull. Les joueuses du casino devaient avoir des emplois du temps similaires. Le matin les courses, une fois par semaine le coiffeur. *Les Feux de l'amour* à la télé, peut-être, et puis le casino, le vrai moment de la journée. Certaines avaient été heureuses, utiles, et d'autres pas. Certaines avaient eu de la chance, et d'autres moins. Elles ne manquaient pas de grand-chose et elles manquaient de tout. Un désir mécanique et froid, sans contours, sans partage. Elles jouaient. Combien de temps encore avant *La Petite Madeleine* ?

Elle aimait cette crique minuscule, en contrebas du sentier des douaniers, côté sauvage, en allant vers Tirou. La marée haute la recouvrait presque entièrement. À marée basse, très peu de sable. Derrière quelques rochers hauts, un amoncellement de pierres de toutes tailles, polies par le flot, et des éclats de bois flottés, des bouts de filets de pêche, des os de seiche. Parfois, la place était prise. La crique était trop petite pour qu'on puisse l'investir à plusieurs. C'était un code tacite. Les gens qui venaient jusque-là voulaient une vraie solitude. Assise aux côtés d'Agnès, elle pouvait se taire, les genoux contre les épaules, dans une position qui la rajeunissait presque malgré elle – à cause du jean et des baskets aussi. Un chalutier s'éloignait lentement. On entendait son put put put s'affaiblir dans l'ourlet du ressac.

– C'est drôle. On est tellement venus ici avec Pierre, fit Marie doucement.

Un long moment. Agnès ne disait rien. Pas tout de suite. Elles avaient babillé ensemble, à la galerie, avec presque trop d'enjouement. Et maintenant, il fallait que les phrases de Marie viennent vague à vague, en regardant au large. Lentement.

– Je croyais qu'on était ensemble, quand on venait s'asseoir ici, comme toi et moi aujourd'hui. On l'était peut-être. Ou déjà moins.

Elle remonta les manches de son sweat-shirt au-dessus des coudes.

– C'est ça qui est le plus dur, je crois. Ne pas savoir quand il a commencé à ne plus être avec moi. En ce moment, j'essaie de vivre dans l'instant, de m'étourdir un peu. Mais après, il faudra regarder en arrière, sans jamais bien savoir où situer la ligne de démarcation. Enfin, je te dis ça. Tu connais mieux que moi...

Difficile d'aller plus loin. Oui, la séparation, Agnès avait connu. Pendant plus d'un an elle était restée prostrée, retrouvant parfois un peu d'énergie pour sa fille Julie. Et puis elle avait ouvert cette galerie de peinture salon de thé sur le port. Un ancien hangar à bateaux. En quelques mois, Agnès avait instillé dans ce lieu toute la chaleur de vie qu'elle n'avait plus. Des coins et des recoins partout, avec des livres disséminés comme au hasard, sous les beaux volumes des murs peints à la chaux. Des lampes basses, des tableaux, bien sûr, de vieux jouets mécaniques, un orgue de Barbarie, un piano droit. Très vite, le bouche-à-oreille avait couru. Étourdie par ce succès, Agnès avait commencé à proposer des petits plats à midi. Elle courait sans cesse pour que les autres arrêtent le temps.

Il y eut les je t'embête avec tout ça, les tu sais bien que tu ne m'ennuies pas. Elles n'avaient pas envie de se lancer dans les tréfonds de la psychologie confidente. Leur amitié était plus elliptique. Agnès avait toujours préservé une étonnante discrétion pour évoquer sa solitude, et cela lui donnait un charme supplémentaire, un secret. Marie s'en voulut d'avoir commencé à s'épancher.

– Tu me disais que finalement Léa ne viendrait pas ?

Non, Léa ne viendrait pas au Fahouët. Une chute en roller, double entorse, quinze jours de plâtre. Plus question de balades sur le sentier des douaniers.

– Je vais rentrer à Paris.

Elles restaient là, parlant à petits coups, avec de grands silences. Agnès se leva un instant, tenta quelques ricochets. Certains galets étaient parfaits, mais la marée montait. Deux femmes seules. Le milieu de la cinquantaine. Agnès était encore belle, Marie encore jolie. Elles le savaient, comme elles savaient la mélancolie de cet encore. Des hommes leur feraient la cour. Elles ne seraient pas flattées mais reconnaissantes, et plus jamais agacées. Elles les dissuaderaient tout en douceur, garderaient parfois pour eux de l'amitié, ou peut-être un peu plus, sans jamais leur donner d'emprise sur leur vie. Tout ce non-dit les rapprochait. L'eau venait presque jusqu'à leurs pieds maintenant. Un pâle soleil d'avril s'exaspérait derrière la brume, mais on ne voyait rien des contours de la baie. On aurait pu se croire ailleurs, dans une Écosse, une Irlande. Au nord de soi.

– Tu viendras cet été ?

– Oui. Le plus longtemps possible... Il faut que j'en parle avec Pierre. Ah ! oui, maintenant, on va répartir, partager...

Elle sourit tristement.

– Non. En fait, je crois qu'il est prêt à tout abandonner. Il a déjà tellement mauvaise conscience. Mais pour cela au moins, je sens qu'il veut la jouer grand seigneur. Et puis il préfère tout effacer.

– Tu sais, Marie, tu disais l'autre jour que tu en

avais de plus en plus assez de t'occuper des livres des autres, de côtoyer les mêmes gens. Si un jour tu as envie de vivre ici, il y a du travail à la galerie. Enfin, ce n'est qu'une proposition malhonnête...

Elles se relevèrent toutes deux du même élan.

– Je me sens tellement d'ici maintenant. Je prends ton offre tout à fait au sérieux.

Elle posa sa main sur celle d'Agnès, et ajouta après un temps de réflexion :

– Merci. Pas dans l'immédiat, en tout cas. J'ai encore des engagements à Paris. Et puis il y a Léa, ses parents. Étienne est tellement perturbé par notre séparation.

En grimpant la paroi difficile qui ramenait au sentier des douaniers, l'une des deux commença à chanter :

« Ne la laisse pas tomber

Elle est si fragile

Être une femme libérée

tu sais c'est pas si facile... »

Et après le rire qui suivit, l'une des deux dit à mi-voix :

– Je ne sais pas si j'ai envie d'être une femme libérée.

Quelques pas sur le port au crépuscule. Et puis la voiture la nuit, et vite après Lamballe la quatre-voies, le début d'un de ces trajets abstraits où les noms sur les panneaux – Rennes ouest 6 – apparaissaient comme des virtualités lointaines. Elle avait d'abord glissé dans le lecteur des danses populaires anglaises interprétées par Alfred Deller. Le timbre si émouvant de la haute-contre britannique, l'ancienneté des mélodies installaient un contraste savoureux avec la modernité des pôles de lumière bleus et verts sur le tableau de bord. Elle graverait le disque pour André, quand elle aurait le courage d'aller le voir, cet été. Après Rennes, plus de musique. L'envie de se retrouver différemment avec soi. La voiture semblait faite pour ça. L'attention constante mais presque mécanique accordée à la conduite agissait comme une contrainte favorable à la réflexion, et même à la lucidité. Souvent elle conduisait, quand ils rentraient à Paris avec Pierre. À deux, c'était autre chose. Le parallélisme des positions, le côtoiement sans regard l'un vers l'autre appelaient, après quelques sujets anodins, le ton de la confidence. Ils avaient parlé de choses importantes, dans le faisceau des phares et la fatigue commençante. Mais souvent Marie avait fait le trajet seule aussi, ou bien avec Étienne.

Elle revenait vers Paris. L'appartement de la rue Oberkampf que Pierre lui abandonnait. Leur lieu de vie pendant trente ans. Marie appréhendait d'y revenir après ce passage en Bretagne. Dormir à nouveau dans leur chambre. Curieusement, elle ne craignait pas la chambre. Dormir, faire l'amour, c'est arrêter le temps. On n'y laisse pas de mémoire. Elle redoutait davantage tous les tableaux chinés dans les brocantes, les salles de vente, égrenés au hasard des pièces. Des toiles quelquefois, mais souvent des cartons, des esquisses, des dessins. Des œuvres de tout petits maîtres, sans grande valeur marchande, avec une prédilection pour les années 1930. Elles reflétaient une passion commune, mais surtout une façon d'être ensemble. « Viens voir ! » Quand ils s'interpellaient, ils étaient presque certains de l'assentiment de l'autre – et c'était sûrement un signe fort, mais aussi le seul domaine culturel où ils partageaient sans restriction. Pour l'habitat, les matériaux, les objets de la vie quotidienne, les choix de Pierre l'architecte étaient plus modernes que ceux de Marie. Mais la peinture les réunissait avec une précision presque magique, tant leurs coups de cœur semblaient laisser les autres froids. Ils s'amusaient de l'indifférence des amis, des parents, qui passaient devant leurs trouvailles sans les voir, ou en les sou-lignant d'un commentaire poli, ou bien encore en exprimant leur attirance pour un petit fusain presque caché dans la bibliothèque. Marie et Pierre gardaient pour eux des convictions que les autres eussent trou-vées ridicules. Cette huile étrange, non signée : au premier plan une femme à l'allure très symboliste, robe grise vague, visage à peine esquissé, au fond trois baigneuses incertaines. Ils savaient de manière intuitive que c'était une étude de Maurice Denis, mais pour rien au monde ils n'auraient voulu confier leur certitude à un expert, et moins encore à des proches.

Pierre était parti sans vouloir emporter aucune de leurs découvertes. Marie n'avait pas vu là le signe d'un possible retour. Plutôt au contraire la volonté de confir-mer un complet départ. Pourtant, tout au fond d'elle-même, elle ne pouvait s'empêcher de penser que cette difficulté qu'il avait de conserver près de lui des traces de leur complicité ancienne était l'aveu d'un désarroi.

L'autre chambre était celle d'Étienne, baptisée aujourd'hui chambre de Léa. Léa s'y plaisait à laisser aux murs des traces de l'adolescence de son père. Elle en aurait voulu davantage encore, mais un jour Étienne avait dépunaisé fébrilement devant elle toutes les photos d'acteurs et d'actrices, sans lui donner d'explication. Un poster de Cure voisinait maintenant avec un autre de Stromae, des matchs de football avec des chevaux en Camargue.

Retrouver tout cela, si peu changé, pour une vie si différente. C'était, au-delà de la tristesse, une inter-rogation suspendue dans la nuit clignotante de la quatre-voies. Elle saisit d'une main un paquet de Figolu qu'elle dépiauta tant bien que mal. Et son travail ? Depuis quelques années, Marie avait renoncé à être l'attachée de presse d'*une* maison d'édition. Pendant plus de vingt ans, elle avait vécu au rythme des rentrées littéraires de septembre et de janvier, avec ce déferlement de livres qu'elle devait tous défendre en principe, en sachant bien que seuls quelques-uns retiendraient l'intérêt des journalistes. Et puis le métier avait changé. Elle ne triomphait plus en obtenant l'ouverture du cahier Livres du *Monde* ou de *Libération* pour un de ses poulains, sachant que les ventes ne suivraient pas nécessairement cette apparente victoire. La désaffection progressive des lecteurs de journaux, la multiplication des chaînes de télévision exigeaient une récurrence médiatique que seuls quelques auteurs obtenaient – les journalistes les plus ouverts étaient eux-mêmes contraints par leur direction de parler des livres dont il fallait parler. Imposer un nouvel auteur, un nouveau regard dans ce contexte devenait la quadrature du cercle, d'autant qu'avec les années s'était développée la théorie du bouche-à-oreille – l'idée que le vrai succès populaire ne s'imposait qu'ainsi, sans autre intermédiaire que l'enthousiasme des libraires, des amis, des collègues. Le bouche-à-oreille. Un cauchemar pour les attachés de presse, qui voyaient échapper à leurs prérogatives ce que leur métier gardait de plus stimulant.

Marie était devenue free-lance, bénéficiant des rapports amicaux qu'elle avait tissés avec quelques auteurs pour s'occuper exclusivement d'eux. Ne plus avoir à imposer des livres qu'elle n'aimait pas était un privilège, mais également un travail plus solitaire, coupé des petits cafés, des petits papotages de couloir. C'était également une manière de commencer à se retirer du jeu. À quoi bon sacraliser ce damné parallélépipède rectangle quand tant de rêves et d'énergies cristallisés se retrouvaient, à peine publiés, chez les brocanteurs, quand tant de volumes envoyés en service de presse n'étaient pas lus, aussitôt revendus par les journalistes ? Elle connaissait les librairies où l'on trouvait ces ouvrages, et ne pouvait s'empêcher de fouiller dans les casiers, retrouvant les dédicaces des auteurs avec leurs petites trouvailles. « Pour X, ces quelques feuilles d'automne... » ou « ce roman de la désillusion » et toujours, avant la signature, l'hésitation entre *amicalement* et *cordialement*. Comment ménager la susceptibilité, capter l'intérêt du grand journaliste ? Mais le grand journaliste n'avait même pas ouvert le volume, et Marie soupirait. Il est gonflé. Je l'ai eu au téléphone il y a trois jours. Il m'a dit qu'il allait regarder.

Marie avait lié amitié avec certains journalistes, ceux qui savaient pouvoir se fier à son jugement devenu sans concession au fil des ans – à quoi bon vanter indécemment un livre sans substance ? Elle ne s'adressait pas à des imbéciles. Dans l'avalanche des parutions, elle avait dilué le désir d'écrire un jour son livre. Pourtant, c'était cette envie qui l'avait poussée vers l'édition. Côtoyer, pénétrer cette machine à rêves. Avait-elle un livre en elle ? Elle l'avait longtemps cru, elle le croyait encore parfois, même si son appartenance au milieu compliquait les choses. Il lui serait difficile d'éditer sans bénéficier d'un réseau de connaissances qui faciliterait la publication, mais induirait à l'avance un regard condescendant de la profession. Alors, livrer un manuscrit anonyme ? Elle savait trop le peu de chances de le voir émerger, et elle avait trop attendu : un échec lui ferait si mal.

Et puis, ce tourment sourd qu'elle avait toujours senti en elle, ce besoin d'exister autrement que dans la vraie vie, était-ce un livre ? Elle remplissait des carnets pendant les vacances. Jamais d'idées : des sensations, des odeurs, des lumières. Pierre la plaisantait. Alors, c'est reparti pour le grand œuvre ? Elle haussait les épaules et continuait, mais sans jamais trouver le lien, la forme. Quand Étienne avait dû renoncer à sa carrière de comédien, elle avait été profondément malheureuse. Pour lui, et peut-être aussi pour elle.

Un ciel mauve orangé au loin. Paris se rapprochait. À l'aveugle, elle chercha le paquet de Marlboro dans la boîte à gants, retrouva ce geste si longtemps aboli de la main qui appuie sur l'allume-cigare. La fumée ne dérangeait plus personne. Six heures. Pourvu qu'un bistro soit ouvert à Oberkampf.

Elle semblait flotter à la surface de la scène. L'œil de la poursuite avait du mal à suivre son évolution, mais ce léger décalage participait à l'équivoque de cette gestuelle étrange. Sous ses jupes soyeuses gonflées en corolle, on n'aurait su dire si elle progressait à pas lilliputiens précipités, ou si elle avait chaussé des patins. Manifestement, le plateau n'était équipé d'aucune mécanique. La poussière en suspension dans le halo de lumière pleuvait sur des reflets moirés, dans les mauves et les verts. La pâleur, la minceur de son visage extatique participaient à l'irréalité de ce tableau – non, ce n'était pas un sourire, plutôt une expression neutre d'abandon à des sortilèges qui la dépassaient. Comment pouvait-elle rester aussi impavide ? On ne parvenait pas à imaginer l'effort. La musique s'alentissait.

Elle se recouvrait de voiles. Une forme ondulait, mais ce n'était plus un corps. Une espèce de nécessité impérieuse, d'enfantement tellurique. La lumière se faisait bleue. Malgré l'absence de décor, on se trouvait dans une forêt sidérale, par la seule présence de cet insecte aux trémulations irritantes. L'attente du public tournait à l'exaspération. Et puis tout d'un coup cela commençait à se redresser, se déployer. On ne comprenait pas. Il fallait encore de longues minutes pour qu'on vît se dessiner la silhouette improbable d'une espèce de cavale fabuleuse, un animal de conte oriental dont on maîtrisait lentement la surrection. Le corps de la femme s'était plié à une alchimie impossible à décrypter. On ne voyait plus son visage, on ne savait plus où étaient ses bras, ses jambes. Deux larges anneaux qui avaient pendu à sa taille faisaient à présent les yeux de l'animal. À la révélation se mêlaient l'ébahissement mais aussi le soulagement, comme si chaque spectateur avait vécu dans la douleur cet enfantement magique.

Marie se détourna imperceptiblement pour regarder sa petite-fille. Léa, la bouche ouverte, les yeux fiévreux, obstinément rivés au spectacle, ne demandait aucun éclaircissement. Seulement boire au plus profond la métamorphose. Marie sourit. C'était bon de retrouver dans la fille d'Étienne cette fascination qu'elle avait connue autrefois dans le regard d'un petit garçon, pour d'autres spectacles, parfois rituels, parfois uniques, comme celui-ci.

À la danse mystérieuse succédait l'apparition comique d'un bonhomme au visage tout rond, avec une longue perruque blanche et frisée. Habillé d'un ample costume de laine aux carreaux immenses, il traînait avec lui une valise gigantesque. Il venait se planter en plein milieu de l'avant-scène, contemplait benoîtement les spectateurs avec un sourire béat, puis ouvrait sa veste, en tirait un peigne géant avec lequel il entreprenait de se coiffer sans policer le moins du monde sa chevelure hirsute. Après quoi il ouvrait sa valise, en extrayait une deuxième, une troisième, finalement une vingtième, d'un format minuscule. Toutes étaient vides et tapissées du même motif que son costume.

Tout le spectacle était ainsi. Une alternance de longues séquences transformistes de la femme, de plus en plus sophistiquées, de plus en plus imprévisibles, et de fulgurances de plus en plus absurdes, de plus en plus rapides de l'homme qui traversait parfois la scène avec un accessoire immense, un écriteau.

Quelques secondes, cette idée du « tout ça pour ça »
qui commençait à s'imposer.

Deux manifestations contiguës, mais qui prenaient
sens et se rejoignaient d'abord dans la générosité.
Des trésors de recherche et d'invention pour une
poésie qui ne restait pas l'apanage de la femme,
mais tissait un lien de plus en plus évident entre le
comique et la beauté, le dérisoire et l'enchanté. Alors
ils pouvaient apparaître ensemble, pour un dialogue
à monocycle, un long numéro de funambule, avec
des ombres portées sur le rideau du fond de scène.
L'homme disait quelques mots, qui sonnaient grêles,
et en deçà de leur projet. La salle comble leur faisait
un triomphe, surprise d'avoir été emportée dans un
ailleurs qu'elle n'aurait su nommer.

– Ils appellent ça du cirque, mais ce n'est pas
vraiment du cirque ?

Léa était très fière, dans le lent écoulement du
public. Très peu d'enfants, en ce jour de semaine. Non,
ce n'était pas un spectacle pour enfants. Marie la prit
par la main pour traverser le rond-point, s'engager
dans les couloirs du métro Franklin-Roosevelt.

– J'ai promis que tu serais couchée à onze heures
et demie.

Pendant le trajet, Léa la couvrit de questions.

– C'est le même spectacle qu'ils font depuis près de trente ans. Avant, ils avaient aussi un grand chapiteau, des animaux, des dompteurs, des jongleurs, comme un vrai cirque. Mais maintenant, c'est ça qu'ils ont envie de faire.

– On peut être funambule à cinquante ans ?

Oui, on pouvait. Si on n'avait jamais arrêté on pouvait. Si on voulait vraiment, on pouvait presque tout faire. Très longtemps.

Léa sembla rêver longtemps sur ces mots-là, avec ses grands yeux noisette étonnés, la bouche ouverte sur ses dents un peu grandes. Puis, au bord du sommeil, elle posa sa tête sur l'épaule de Marie.

– Tu sais, c'est la première fois que je vais dormir chez toi depuis que...

– Je sais, Léa.

En fait, c'était très dur. L'appartement, bien sûr. Des pas dans l'escalier qui n'étaient plus jamais ceux de Pierre. Des rites disparus. Le verre de bordeaux le soir, soupirs de lassitude et de bien-être sur le canapé, ne t'en fais pas pour le dîner, il y a une soupe carottes-coriandre et du cantal, parfait, ça me va. Le matin, quand il croyait la laisser endormie pour aller prendre dans la rue un premier café, acheter le journal au kiosque, rentrer avec une baguette chaude. Cette distance infime qui n'était rien que l'envers d'être deux. Il se recouchait tout habillé près d'elle, et elle savait qu'il aimait ça : rapporter la fraîcheur du dehors au creux des draps. Il se lovait contre elle. Il sentait le journal et le café.

La sonnerie du téléphone, qui avait changé de

nature, annonçait seulement de probables conso-
latrices, comme si elle était malade et qu'il fallût
penser à elle, lui trouver des projets. Si ça te dit, un
soir... Ça ne lui disait pas un soir, pas comme ça,
juste pour faire tomber deux confidences dans un
peu d'effervescence. Elle n'éprouvait plus le même
plaisir à s'asseoir pieds nus, les jambes repliées sous
elle dans le vieux fauteuil club tout défoncé. Elle
pensait se carrer ainsi dans une posture égotiste, une
pile de livres à portée de main. Mais elle se rendait
compte à présent que cette position n'avait de sens
que parce que Pierre était là, ou qu'il allait rentrer
et la trouver dans cette attitude qu'il aimait. Malgré
les années, elle savait qu'elle était agréable à regarder
ainsi, plongée dans son travail, mais consciente de
sa féminité nonchalante. Dans toutes les choses de
la vie, elle ne se départait pas, elle ne se départirait
pas d'une gestuelle dont elle s'était imprégnée natu-
rellement, mais qui n'avait de sens que pour plaire
à Pierre, à l'image qu'il se faisait d'elle, même en
son absence. Il lui arrivait à présent de se regarder
bouger, et de se demander pourquoi elle bougeait
encore ainsi.

Les rues n'étaient plus les mêmes. Des ondes de vie
commune avaient irrigué les lieux et les habitudes.

Comment se dire encore : « J'aime faire mon marché boulevard Richard-Lenoir ? » À qui lancer « C'est incroyable, la différence de prix avec les Enfants-Rouges ! » ? Dans ce quartier contaminé par l'inflation des prix bobos, le marché Richard-Lenoir restait un havre de normalité économique où l'on pouvait trouver les premières cerises à trois euros le kilo, où la faconde des vendeurs n'était pas une serviabilité jalouse, où les phrases des acheteurs n'étaient pas marquées du sceau de la familiarité surjouée. Une vraie humanité, oui, mais à quoi bon cette jovialité passante si les saveurs, les couleurs n'étaient pas destinées à des moments d'ensemble ? Elle achetait sa livre de cerises, allait la déguster trop vite en prenant un café à l'angle du bistro. Le serveur lui lançait un sourire complice qui semblait signifier vous savez vivre.

Elle remontait la rue Oberkampf, mais ne commandait plus un petit sauté chez le boucher. Parfois, tôt le matin, elle poussait jusqu'au square du Temple. Le soleil montait au-dessus du kiosque dès huit heures du matin, elle s'asseyait sur un banc, fascinée par le ballet des vieilles Chinoises qui faisaient ensemble du tai-chi. Elles bougeaient si lentement dans le contre-jour. En équilibre sur un pied, elles tressautaient un peu, levaient l'autre jambe avec des raideurs de leur âge. Mais elles reprenaient appui sur le sol, et l'amplitude de leurs mouvements de bras dessinait dans l'espace une sérénité parfaite, soulignée par les ondulations de la musique discrètement diffusée par un lecteur de disques posé sur le sol. Certaines arrivaient en retard. Elles semblaient aussi tendues, soucieuses que toutes les femmes que l'on pouvait croiser dans le square. Mais dès qu'elles s'intégraient au groupe et déployaient leurs bras, la décantation de leurs gestes traduisait une paix profonde. Elles ne faisaient pas du tai-chi pour trouver la paix mais pour l'exprimer.

La paix. Marie n'aimait pas trop ce mot. Elle n'aimait pas non plus les mots harmonie, équilibre, qui traduisaient sans doute l'idéal d'autres passagères du square. Celles-là pratiquaient le jogging avec une intensité plutôt violente. Une autre prenait un cours de gymnastique avec un professeur particulier. La paix paraissait de très loin préférable à l'équilibre, à l'harmonie. Mais Marie avait choisi un autre mot, devenu douloureux, difficile. Bonheur. Un mot qui n'était guère à la mode quand elle avait vingt ans, trente ans. À présent on faisait commerce d'un bonheur épicurien, volontariste, remède à la crise économique et à la solitude. Pour Marie, le bonheur n'était pas cela. Elle l'avait éprouvé si fort à une époque bien délimitée de sa vie, peut-être entre trente et quarante ans. Ceux qu'elle aimait étaient tous là. Ses parents vieillissaient si lentement. Les rares inconstances de Pierre ne remettaient pas en cause le sens de leur vie. Étienne devenait adolescent sans rien manifester de ces ruptures et de ces incompréhensions que toutes ses amies lui promettaient. Depuis un succès rencontré au club théâtre de son collège dans *La Cantatrice chauve*, il ne parlait que de théâtre, et ce rêve conforté au fil des ans trouvait un écho profond chez elle. Pourquoi l'encourages-tu autant ? Tu sais qu'il a une chance sur mille de réussir. Et s'il échoue, il t'en voudra.

Les phrases de Pierre lui semblaient raisonnables, de cette raison qu'au fond d'elle-même elle appelait résignation. On l'eût horrifiée en lui disant qu'elle souhaitait que son fils accédât à la célébrité. À une époque où l'on faisait miroiter aux yeux de tant de jeunes l'éclat souvent fugace d'une gloire publique vécue comme une fin en soi, elle rêvait de bien autre chose : une réalisation profonde dont le théâtre lui avait toujours semblé le synonyme, avec sa part d'incarnation dans le présent, la chair des textes et des personnages.

Les rêves d'Étienne et les siens étaient encore devant. Elle avait eu très fort à cette époque le sentiment d'une plénitude, mais aussi celui d'une fragilité extrême. Tout pouvait arriver. Souvent, elle se disait : « Je ne serai jamais plus heureuse que maintenant. » Et aujourd'hui, elle se donnait raison. Elle songeait parfois que c'était la seule chose dont elle était fière. Avoir su dire je ne serai jamais plus heureuse que maintenant. Elle ne cherchait pas l'harmonie, pas l'équilibre. Elle était mal, bien sûr. Mais pour la paix, elle avait bien le temps.

Étienne passait souvent. Visites inopinées, qui ne se substituaient pas aux rencontres dominicales, mais redonnaient par leur élan, leur imprévisibilité, un souffle à l'appartement trop vide. Marie n'était pas dupe de cette affectivité militante. Je suis monté au cas où tu serais là, j'aménage un loft à deux pas, boulevard Voltaire. Avec sa compagne Sarah, ils étaient devenus architectes d'intérieur, et cela marchait plutôt bien. Il ne s'asseyait pas dans un fauteuil ou un recoin du canapé, traversait l'espace de part en part, prenait un vase, allait dans la cuisine y disposer le bouquet d'anémones qu'il venait d'acheter pour Marie.

– C'est toi qui dis toujours ça : je t'ai pris un petit bouquet d'anémones !

Il s'arrangeait pour dire le moins souvent possible

Maman ou Marie. « Maman » eût souligné la fracture familiale en rappelant le bousculement de la structure. « Marie » révélait une fausse liberté dont sa propriétaire se serait bien passée. Alors il disait tu, avec une inflexion imperceptiblement adoucie dans l'attaque de la consonne. Et comme il ne venait que pour lui parler d'elle, il parlait beaucoup de lui.

– On est contents. J'ai l'impression d'exister de plus en plus dans ce boulot.

Et comme le sourire et l'assentiment de Marie lui semblaient un peu pâles, il développait son plaidoyer :

– Si, tu sais, c'est vraiment un travail de création. On rencontre des gens, on essaie de les voir tels qu'ils sont et peut-être même tels qu'ils voudraient être. Ils nous livrent un espace, et il s'agit moins de les surprendre que de les accomplir, de les aider à opérer une mainmise sur le style de vie qu'ils vont avoir. Oh, ça ne réussit pas à tous les coups, mais justement. Il y a un risque et une satisfaction en profondeur, quand ils sont séduits.

Il allait au réfrigérateur, sortait deux bières, et emplissait les verres sans rien demander à Marie, comme s'il était important pour elle qu'il se comportât encore comme chez lui.

– Après, on s'en va sur la pointe des pieds, et

c'est un peu mystérieux. On ne sait jamais s'ils ont été heureux ou pas dans le décor. Mais on a habillé leur vie, on a compté dans leurs gestes. On est resté dans leur trame.

– Oui, c'est un beau métier.

Marie ne pouvait s'empêcher de donner à sa façon de prononcer le mot métier une nuance insensiblement péjorative. Les visites d'Étienne lui faisaient tant de bien. Pour rien au monde elle n'eût voulu le contrarier. Il l'enveloppait de son bras, restait aussi tendre que l'enfant, l'adolescent qui avait traversé sa vie bien trop vite. Mais glorifier plus longuement son choix professionnel était au-dessus de ses forces.

– Léa t'a parlé du spectacle ?

– Parlé ? Demande-moi plutôt si elle parle d'autre chose !

C'était au tour d'Étienne de manifester contre son gré une infime pointe d'agacement.

– Figure-toi que depuis trois jours elle n'arrête pas de me demander comment on fait pour entrer à l'école du cirque. Elle souhaite apprendre à marcher sur une corde. Enfin, il y a encore huit jours elle voulait être garde forestier. La semaine prochaine elle sera vétérinaire. Tous les enfants finissent par rêver de devenir vétérinaire.

– Et tous les parents en profitent pour leur dire que dans ce cas il faudra très bien travailler en classe !

C'était bon de rire avec Étienne. La connivence était si ancienne. Mais il y avait une petite faille, qu'ils avaient bien sentie l'un et l'autre. Étienne avait trop rapidement éludé l'évocation de l'école du cirque. Et curieusement, en allant chercher une autre cannette dans le réfrigérateur, c'est lui qui y revint, comme s'il était impossible de laisser entre eux la moindre zone de non-dit :

– Oui, l'école du cirque, le théâtre, le spectacle vivant... Tout ce que Léa vit avec toi... Tu sais combien j'aime cette complicité... j'allais dire cette amitié entre vous.

Il finit par s'asseoir, cala sa nuque dans un coin du vieux fauteuil aux oreillettes. Marie se taisait.

– Mais quand même, je ne sais pas si tu te rends compte, tu l'influences énormément. Bien sûr c'est merveilleux, elle acquiert toute une culture, et toujours dans le plaisir, l'amusement.

Et comme Marie ne disait toujours rien, il changea brusquement de registre, avec un rire qui ne sonnait pas très gai :

– Tu te souviens du *Cercle des poètes disparus*, comment j'avais pu être bouleversé par ce film ? Eh bien chez nous, c'est un peu *Le Cercle des poètes disparus* à l'envers. Comme le père de Neil le programme pour devenir banquier ou médecin, on dirait que tu programmes Léa pour qu'elle n'échappe pas au monde du spectacle... Ou en tout cas pour qu'elle pense que le monde du spectacle est le seul univers d'accomplissement véritable.

Marie regardait sa bière devant elle, ses deux mains encerclant le verre. Le silence qu'elle partagea quelques secondes avant de répondre pouvait aussi se lire comme une forme d'assentiment à tout ce qu'Étienne avait dit.

– Tu es un peu injuste. Je fais mille choses avec Léa. J'ai dû passer autant de temps à l'accompagner faire du cheval qu'à aller au théâtre avec elle.

– Tu sais bien ce que je veux dire, reprit Étienne un peu plus durement. Tu sais ce qui compte vraiment. Peut-être ne sommes-nous plus tout à fait d'accord sur ce sujet. Il y a mille façons de se réaliser.

Et elle, avec une lenteur si doucement énigmatique, avec dans la cadence de sa phrase le privilège de la femme blessée qu'elle se reprocha de faire jouer sans y renoncer cependant :

– Je suis heureuse que tu sois heureux.

Treize ans s'étaient écoulés depuis ce jour-là. Elle s'en souvenait avec un luxe de détails étonnant, comme si elle avait voulu penser d'emblée que quelque chose de définitif se jouait. Pourtant, Étienne avait passé déjà tant de concours et d'auditions. Au début, c'était elle qui lui donnait la réplique dans sa chambre, la veille. Mais elle proposait trop de conseils, ne pouvait s'empêcher de remettre en cause les préceptes de ses professeurs. Et puis il avait l'âge de jouer son destin lui-même. Troisième fois qu'il tentait le concours d'entrée au Conservatoire national d'art dramatique. Un premier « tour » réussi à sa première expérience, l'échec tout de suite à la deuxième. Et cette fois...

L'épreuve avait quelque chose d'inhumain. Comme tous les concours sans doute. Les trois tours consécutifs à réussir prenaient ici une solennité cruelle. Premier tour dans une salle annexe du Conservatoire. Froideur de la lumière crue. Presque toujours, le jury demandait la scène classique – les élèves devaient préparer une scène du répertoire, une scène de comédie, et un choix personnel qui pouvait aller du sketch au poème, à un texte de chanson. Le deuxième et le troisième tour se déroulaient dans la salle de théâtre du Conservatoire. Obscurité trouée çà et là par les petites lampes des membres du jury légèrement disséminées. On attendait son tour de passage en coulisses. Un retour vidéo permettait aux candidats de jauger les prestations de leurs prédécesseurs, mais l'envie se délitait avec la proximité de l'épreuve. Le volume du son était limité à l'extrême pour ne pas risquer de gêner l'examen, et c'était très étrange de voir ainsi ses concurrents bouger sur un écran, dans une espèce d'aquarium où la conviction du jeu se faisait nuageuse, abstraite. On avait la sensation de devenir l'autre, et en même temps d'endormir avec lui l'intensité de ces secondes essentielles dans une pantomime cotonneuse. Certains préféraient ne rien voir.

Le concours n'était pas ouvert au public. Étrange de jouer, d'incarner un personnage avec pour seuls spectateurs des hommes et des femmes qui n'étaient pas là pour se laisser séduire, émouvoir, emporter. Bien sûr, eux-mêmes avaient été acteurs, certains l'étaient encore tout en étant devenus professeurs. Mais leur face-à-face avec les candidats était une curieuse mise en scène. Il y avait des critères objectifs, le grain de la voix, l'articulation, l'intelligence de la syntaxe. Mais l'implication physique de l'interprétation mettait en jeu une séduction beaucoup plus complexe. Comment se créer une conviction détachée devant l'offrande charnelle, le dénuement impudique des candidats ? Le chaud se donnait en pâture au froid, les rêves déferlants suppliaient les rêves circonscrits. En même temps, chacun des membres du jury devait retrouver dans chaque candidat le reflet de l'être profond qu'il avait mis en jeu autrefois, sans doute dans la même salle aseptisée, sur la même scène. On pensait à tout cela. On imaginait la lassitude aussi, la faim ou la fatigue des jurés, l'arithmétique du hasard qui faisait se succéder des prestations réussies, minimisant les chances de ceux qui passaient juste après.

Marie avait passé des concours autrefois. Elle avait failli devenir professeur de lettres. Admissible à l'agrégation une première fois, elle avait opté à l'oral pour un tailleur bleu marine acheté pour l'occasion, et qui détonnait avec les minijupes et les jeans élimés qu'elle portait à l'époque. Elle pensait éviter ainsi l'antipathie des femmes du jury. Mais cette stratégie n'avait pas fonctionné. Éliminée assez nettement, elle avait dû subir les commentaires de tout son entourage, toutes ces copines qui parlaient de *l'agrég* comme d'une épreuve juste, impitoyablement logique. Par tempérament, elle n'y croyait pas. L'année suivante elle travailla beaucoup moins, surprise d'une nouvelle admissibilité obtenue il est vrai de justesse. Heureusement, l'oral était un parcours d'obstacles très particulier : une épreuve par semaine, de mi-juin à mi-juillet. Elle eut ainsi le temps de lire les œuvres qu'elle n'avait que survolées, d'engranger comme un jeu dans sa mémoire les lois de phonétique historique qui l'avaient toujours déprimée. Les cheveux libres, en jean, elle eut davantage la sensation de participer à une épreuve sportive qu'à un concours universitaire, et bien sûr elle fut reçue. Agrégée. Un titre qu'elle n'arborait guère, mais qui lui permit de franchir rapidement les étapes dans sa carrière d'attachée de presse. Elle n'en tirait aucune vanité, mais simplement la certitude qu'il n'y avait pas *d'esprit du concours*, que dans les épreuves orales des ondes mystérieuses s'échangeaient, dont il était bien difficile de discerner le sens.

Le concours d'Étienne lui paraissait aussi aléatoire, mais bien plus monstrueux, tellement plus révélateur d'une intimité profonde, qu'il fallait soumettre à l'évaluation d'un jury supposé sensible, et d'autant plus complexe à appréhender. Elle se contraignit à ne pas trop espérer quand Étienne réussit sa scène de *Britannicus*, puis celle des *Fourberies*. Il était trop tard pour remettre en question son choix pour le troisième tour. Elle avait trouvé son idée bizarre. Un sketch de Fernand Raynaud, à son âge ! Comment le jury réagirait-il à une proposition aussi désuète ; Et *Heureux !* Une espèce de racisme anti-urbain qui n'avait plus guère de sens au vingt et unième siècle. Le cantonnier épicurien prenant un ton benêt pour souligner la supériorité de sa ruralité insouciante. « C'est bien rare si je trouve pas quelques champignons... ou des airelles... Les airelles... C'est très fin comme goût... Mais vous ne connaissez pas ça, à Paris : ça ne supporte pas le voyage ! » Le pire était peut-être qu'Étienne n'adoptait pas du tout la fausse niaiserie de Raynaud. Elle l'avait entendu dans sa chambre moduler le texte avec une espèce de neutralité poétique qui lui avait paru étrange.

Après deux premières tentatives, Marie connaissait bien les rites de l'épreuve. Si elle se gardait d'intervenir désormais dans le travail d'Étienne, elle n'en vivait que plus douloureusement l'attente. Sans rien lui dire, elle avait envisagé la possibilité de pénétrer en fraude dans la salle et de s'y cacher. Elle ne l'avait pas tenté les années précédentes, car il lui semblait que le jeu d'Étienne était alors trop marqué par ses suggestions pour encourir sans indécence l'idée d'aller en quelque sorte s'espionner elle-même. Mais depuis qu'il s'était détaché d'elle dans la préparation, les choses étaient différentes à ses yeux. Elle connaissait cet escalier de service, le labyrinthe des loges, la double porte battante qui ne grinçait pas... À quatre pattes, elle se faufila dans l'obscurité jusqu'à la rambarde du premier balcon. Peu de chances d'être surprise là, même si c'eût été une honte absolue, un risque pour Étienne aussi. Mais elle ne pouvait physiquement pas se retirer du jeu en cette heure cruciale. Elle pensait qu'il jouait là tout le sens de sa vie ; l'abandonner en cet instant était insupportable. Bien sûr elle était lourde, tellement trop lourde, Pierre le lui répétait à chaque instant. Étienne lui-même... Mais ce jour-là, sa lourdeur était légère, une lourdeur en fraude dans le noir. Des ondes passeraient... elle ne voyait rien. La voix d'Étienne monta soudain comme de très loin :

« Y en a qui tiennent le haut du pavé. Moi je tiens le bas du fossé. »

Elle écoutait moins la voix de son fils que le silence des jurés, comme si un silence pouvait parler, ou un geste – un croisement de jambes bousculant un coin de table, et cela aurait signifié qu'un des jurés s'ennuyait, se demandait où le candidat voulait en venir. Jouer son destin avec une performance aussi décalée, c'était à ses yeux comme sauter d'un avion sans parachute. Mais l'intensité du moment dépassait toute objectivité. Il n'était pas possible que le jury ne sente pas qu'autre chose était en cause, la ferveur viscérale d'Étienne, son besoin absolu d'être sur une scène, parce que voilà, il était fait pour ça, plus que les autres. Elle savait bien ce que cette pensée pouvait avoir de ridiculement partisan, mais peu lui importait. Les ondes de sa certitude pouvaient-elles descendre jusqu'aux membres du jury ? Sans doute étaient-ils un peu assoupis par leur satisfaction de voir tant de jeunes gens maîtriser à grand-peine l'angoisse et le désir de devenir leurs élèves. À la fin du sketch le « Je vous remercie » du président du jury résonna dans le théâtre vide avec une intonation sévère, mais c'était peut-être seulement le possible sens négatif du verbe « remercier », l'exaspération de son écoute, sa peur, qui la faisaient trembler à présent.

Il fallut attendre longtemps. Elle s'éclipsa comme un voleur, regagna la rue Oberkampf. Elle avait promis à Étienne qu'elle ne se manifesterait pas, attendrait son coup de téléphone. Depuis le tour préliminaire en février, tout le début de l'année avait été suspendu au rythme du concours d'Étienne. Combien de fois le mot « Conservatoire » avait-il été prononcé ? Un mot curieux, qui signifiait tout son contraire, tant l'idée de conservation était à l'opposé d'une espèce de liberté magique dont il cristallisait la promesse.

On était à la mi-mai. Marie se souviendrait toujours de la matière précise de ces heures d'attente. La qualité de la rumeur du trafic par les fenêtres ouvertes du salon rue Oberkampf. La flèche de soleil jusqu'au sofa. La façon dont elle avait repris le volume Quarto de *La Recherche*, quittant ses chaussures, repliant ses jambes sous ses fesses dans sa posture familière, laissant refroidir un mug de thé sur la table basse. Mais même les phrases de Proust ne pouvaient rien lui dire. La syntaxe familière défilait en transparence. Jupin et Charlus n'existaient plus, ils étaient devenus attente du résultat d'Étienne. La belle après-midi avait disparu elle aussi, noyée dans une dilution inquiète.

Souvent, Pierre lui reprochait de vivre par procuration tout ce qui concernait Étienne. Mais c'était bien plus que ça. Elle ne vivait pas à sa place. Mais cette deuxième vie qui l'emplissait d'angoisse et d'espoir lui donnait aussi le sentiment d'une immense responsabilité. Oui, c'était elle qui l'avait menée à cette douleur-là, qui pouvait tout gagner ou perdre. Elle garderait à ses lèvres le goût du thé froid quand le téléphone sonnerait enfin. Étienne, et ce mot-là qui disait tout : heureux !

On ne peut pas vraiment regarder en arrière. Marie n'avait pas vécu toutes ces années comme elle avait tendance à les voir désormais. À vingt ans, Étienne entrait au Conservatoire. Marie en avait quarante-trois. La vraie vie commençait. C'est forcément la vraie vie quand votre fils unique commence à réaliser tout ce que vous aviez rêvé pour lui. Les infidélités de Pierre devenaient plus récurrentes, mais ils s'entendaient sur l'essentiel. « Pardon au pécheur ! » disait-elle à ses amies pour le justifier. Certaines lui conseillaient de tenter une aventure pour faire sentir à Pierre qu'elle pourrait lui échapper. « Avec ton physique, ton métier... » Mais elle ne souhaitait pas donner à l'homme de sa vie le sentiment qu'elle pourrait lui échapper. Elle aimait bien faire l'amour

avec lui, être jolie, désirée, féminine. Elle lui concé-
dait quelques perversions, mais Pierre sentait bien
que c'était surtout pour lui faire plaisir, et elle savait
qu'il le savait. Elle ne désirait pas d'autres hommes, et
sans en refuser l'éventualité ne souhaitait pas la faire
naître sur commande. À Sylvie, son amie d'enfance,
elle confiait : « Cela n'a rien à voir avec la condition de
la femme, l'époque, etc. Mais simplement je crois que
Pierre est plus sexuel que moi. Le désir intrinsèque,
non, il faut que j'aime quelqu'un... C'est moi qui suis
comme ça, c'est tout... » Sylvie comprenait d'autant
mieux qu'elle se sentait pour sa part infiniment plus
sexuelle que son compagnon Antoine. Attirée par les
femmes, aussi. Marie s'amusait de ses confidences
et de ces secrets compliqués. Toutes ces amies qui
n'étaient pas seulement des amies. Mais avec toi, je
n'aurais pas envie d'essayer. Marie hochait la tête,
l'air faussement navré, et elles riaient toutes les deux.

Au Conservatoire, Étienne rencontra tout de suite
Sarah, si pâle et rousse, plus belle que jolie : une
tragédienne-née. Marie partageait au plus près les
engouements d'Étienne pour l'enseignement de ses
professeurs. Il fallait se laisser modeler, influencer,
devenir un outil entre des mains expertes. Après, après
viendrait la réalisation. Elle assista ainsi à des petits

spectacles intra-muros qui, au fond, la décevaient. Mais elle se disait qu'il apprenait un métier, même si jouer un rôle de clown anonyme ou débiter un texte de Nathalie Sarraute d'une voix volontairement atone correspondait peu à l'idée qu'elle se faisait du spectacle. C'est seulement après les années au Conservatoire que le monde du théâtre se révéla réellement abrupt. Il fallait vivre. Deux comédiens. Mille projets, dont Étienne aimait l'entretenir, comme pour y croire lui-même, mais que d'échecs ! Des petits rôles, bien sûr, mais surtout la déception inhérente à ce métier d'avoir à refuser des propositions intéressantes parce qu'on venait juste de s'embarquer dans une pièce purement alimentaire. De la figuration au cinéma. Des personnages dans des dramatiques télévisées. Un premier emploi de jeune banquier conformiste dans une saga familiale. Il occupait abondamment l'écran, c'était plutôt bien payé, mais le piège se referma bien vite : la télévision ne lui proposait que des prestations équivalentes. Il dut renoncer à ce filon confortable, vivre six mois d'intermittence pour ne pas être catalogué dans un registre fade qui lui faisait horreur. Être reconnu par sa boulangère ne lui suffisait pas.

Et puis, peu à peu, des projets plus intéressants

se dessinèrent. Le succès inattendu d'une pièce écrite par un très jeune auteur, où l'on voyait les comédiens, dans l'envers du décor, se préparer à jouer une pièce de Koltès, parler de leur personnage, de la pièce elle-même, et de leurs rapports dans la vraie vie. Étienne put arracher là la petite étiquette qu'il avait commencé à se coller lui-même, par besoin de faire bouillir la marmite. *Avant*. Fidèle à son titre, la pièce était aussi une réflexion sur l'intensité de tout de ce qui se passe *avant*, tout ce qu'on attend, ce qu'on espère. Étienne prenait une stature de comédien, dans un spectacle qui affirmait la primauté du spectacle sur la vie réelle – tout ce qu'elle éprouvait au plus profond d'elle sans oser le formuler ainsi. « Tu devrais jouer seulement des rôles comme ça ! » Étienne hochait la tête d'un air qui voulait dire « On ne trouve pas si facilement de rôles comme ça. » De fait, la deuxième pièce de son ami Stéphane fut un four. Dans l'aventure, Étienne avait gagné une image d'intellectuel subtil, fragile. Il put la faire fructifier un peu au cinéma, mais si sporadiquement au théâtre. La télévision ne s'intéressait plus à lui, ce qui n'était pas plus mal.

Sarah, quant à elle, éprouva d'emblée les pires difficultés à vivre de son art. Tout le monde louait ses qualités de tragédienne, mais les places, peu nombreuses, étaient cadenassées. Elle se tourna vers le spectacle pour enfants. Avec très peu de moyens, beaucoup d'imagination, l'exploration systématique de tout ce qu'elle savait faire – des statuettes en pâte à modeler, des ronds de fumée dans des bulles de savon, l'imitation parfaite de pas mal de cris d'animaux. Elle concocta un petit one-man-show comique et poétique de quarante minutes qui put tourner longtemps dans les minuscules salles parisiennes spécialisées, les nombreux festivals un peu partout. Sans doute se serait-elle lassée de ce moyen d'expression, mais Léa naquit bientôt. Étienne et Sarah venaient d'avoir vingt-trois ans. Sarah cessa dès lors d'avoir sur le monde de l'enfance un regard réducteur – à cinq ans, Léa se montrait si fière du spectacle de sa maman, et de pouvoir le partager parfois avec ses copines de maternelle.

Ainsi passèrent les années théâtre. À propos de la carrière d'Étienne, Marie pensait souvent : « Même s'il devait arrêter maintenant, il aura fait ça. » Il aurait quelquefois changé la vie de gens qui ne le connaissaient pas, dans la ferveur d'un soir, le partage ébloui d'un temps différent. D'autres fois, sentant qu'Étienne comme Sarah ne se réalisaient pas pleinement, elle leur suggérait d'écrire un spectacle sur mesure. Un dimanche soir, elle leur proposa de l'écrire elle-même, et fut un peu blessée de leur manque d'enthousiasme en réaction. Non, ils croyaient en savoir assez sur leur univers professionnel pour être sûrs que ça ne pouvait fonctionner ainsi, qu'il fallait être choisi, demandé, jamais demandeur. Ainsi Marie feignit-elle de se résigner comme ils se résignaient eux-mêmes. Et puis un soir, elle dut dire pour la première fois, avec un enthousiasme surjoué, et cette fêlure au fond pour eux, pour elle : « Oui, architecte d'intérieur. C'est un très beau métier. »

La Petite Madeleine était en tous points conforme à ce qu'elle avait redouté. Un quartier agréable, mais trop éloigné du centre de Rennes pour que les résidents puissent s'y rendre à pied. De toute façon, André marchait très mal désormais. Dès le hall d'entrée, l'odeur du désinfectant l'avait prise à la gorge. Mais le plus choquant, c'était le contraste entre les occupants. Une femme hagarde en robe de chambre prune poussant un déambulateur l'avait interrogée longuement du regard. Dans le petit coin salon, sur des sofas en T des pensionnaires restaient captifs d'un téléviseur. Sur l'écran, Julien Lepers animait un spécial jeunes de *Questions pour un champion*. Un homme et une femme suivaient manifestement le cours du jeu – Marie entendit même la femme critiquer avec une voix de sourde au timbre suraigu le langage branché que l'animateur se croyait obligé de prendre pour s'adresser aux concurrents adolescents. Mais les autres restaient là, parfaitement impavides devant le rectangle animé, sur le visage une expression tragique et lasse qui ne correspondait en rien au spectacle proposé, stigmatisait l'accablement d'une vie trop longue. À côté des sofas, on avait installé dans une chaise roulante un homme cadavérique vêtu d'un pyjama à rayures. Il regardait obstinément juste à côté de l'écran, indifférent à tout. À l'accueil, on dit à Marie qu'en dépit des encouragements du personnel, André ne quittait guère sa chambre. Marie monta les deux étages, toqua à la porte, entra avant de recevoir le moindre écho. Ce n'était plus le même André déjà. Son tee-shirt noir et son jean lui donnaient un style presque artiste, en comparaison des autres pensionnaires de *La Petite Madeleine*, mais sa voix trahissait l'ennui, et une fatigue irrémédiable que ses « Je suis comme un roi ! » trop répétés ne dissipaient pas. Marie lui avait apporté le dernier Richard Bona comme promis, et aussi un petit livre original traduit de l'italien et consacré au manteau de Proust qui ne sembla pas l'étonner outre mesure.

Il s'entêta à vouloir préparer un café, avec des

gestes agacés et maladroits si opposés à son tempérament. Café trop léger, trop de sucre. Marie s'assit à côté de lui sur le lit.

– Ainsi, Marie, vous êtes passée me voir avant d'aller au Fahouët. Il est dégueulasse ce café, pardon !... Eh bien, vous allez découvrir vos nouveaux voisins. Ou plutôt leur progéniture, car ce sont leurs enfants qui devaient venir les premiers, en juillet. Enfin...

Il eut un geste évasif, pour signifier que tout cela ne le concernait plus.

– Les parents sont profs de fac je crois, ou d'I.U.T., je n'y connais rien. Je leur ai dit qu'ils n'avaient pas grand-chose à craindre de la mitoyenneté ! Mais cela sera réciproque, je pense. Vous verrez que vous n'aurez pas longtemps à me regretter !

Une lueur malicieuse venue d'avant passa dans son œil tandis qu'il empêchait Marie de protester en lui saisissant familièrement le poignet. Pendant qu'il parlait, le regard de Marie parcourait les murs de la chambre. Une vingtaine de DVD et de CD sur une étagère, une trentaine de bouquins sur l'autre. Voilà tout ce qui restait de la vie intellectuelle si enthousiaste d'André. Trois photos de sa femme sur le bureau. Marie ne l'avait connue qu'à la fin de sa maladie. Deux clichés très anciens la fixaient dans un temps improbable, si jolie, avec un petit air mutin à la Audrey Hepburn. Voilà. On vit ensemble, ou on le croit. Qu'en reste-t-il au bout du compte ? Marie n'avait cessé de rencontrer tout au long de sa vie des hommes et des femmes qui voulaient laisser une trace, des écrivains. Mais aucun de ceux qu'elle avait défendus ne laisserait vraiment une trace, elle en était persuadée. Il fallait arrêter le temps quand on le pouvait, dans l'éblouissement d'un soir. Cela n'avait pas de sens de finir à *La Petite Madeleine*. Entre « Je suis comme un roi » et « Je suis déjà mort » il n'y avait aucune différence, et le regard d'André le disait si clairement, tandis qu'ils s'efforçaient de donner le change. Leur amitié ne pesait d'aucun poids, faite d'élans légers, de retenue, de complicité feutrée. Elle faillit le serrer très fort dans ses bras au moment de la séparation, mais se reprit de justesse. Surtout ne pas lui témoigner que cette visite était irrémédiable. Il crachinait sur la route côtière qui la ramenait vers tant de soirées effacées. Elle n'avait pas envie de découvrir les nouveaux occupants du Fahouët.

Elle fut cinq jours sans les voir, comme s'ils jouaient à cache-cache. Ils n'avaient rien changé dans le jardin d'André, juste installé les trois bancs de teck devant un petit espace où les herbes folles étaient tout aplaties. Léa ne viendrait qu'en août, après des vacances en Croatie avec ses parents. Marie avait accepté la proposition d'Agnès pour juillet. Elle servait à la galerie, midi et soir. *Climats* accueillait quelques touristes attirés par l'atmosphère, les belles proportions de cet ancien grenier à sel, les lampes chaudes, les bouquins égrenés sur les tables basses, les tableaux, bien sûr. Agnès avait su refuser les propositions de peintres aussi faibles dans leur création que vaniteux dans leur discours. Avec un certain courage, et sans prétendre à un absolu d'excellence, elle avait su préserver une unité réelle dans des choix où le contemporain se mêlait à l'intime post-impressionniste. Marie se sentait bien avec Agnès. Leur amitié résistait au partage des tâches domestiques, ce qui est si rare. Même en cuisine elles se frôlaient avec des gestes conciliants. Marie donnait dans la matinée un coup de main pour laver, éplucher, disposer les ingrédients sur un fond de pâte pour les quiches. Agnès proposait peu de plats, mais comme en peinture ses choix gastronomiques étaient sans concession : légumes et fruits biologiques, poissons achetés sur le port, vins d'un bon rapport qualité-prix. Près d'elle, Marie avait la sensation de retomber un peu en enfance, de jouer à la restauratrice. Elles prenaient des fous rires en commentant le style, les exigences de certains clients, et un plaisir un peu pervers à leur tenir ensuite des propos éperdus d'assentiment avant de croiser leurs regards et de se mordre les lèvres pour ne pas éclater de rire. Dans le petit laboratoire, avant le coup de feu, elles échangeaient des propos plus graves, ou bien confectionnaient des salades en presque silence, se prenaient par la taille pour accéder aux radis, à l'huile d'olive, où as-tu mis ton raifort ?

Depuis longtemps, l'une et l'autre n'avaient pas connu une telle douceur dans le partage. Dis donc, il faudra quand même qu'on aborde un jour la question salaire ! Et Marie posait la main sur le bras d'Agnès en guise de réponse.

Ce fut Agnès qui fit découvrir à Marie ses nouveaux voisins. Ils avaient choisi la table la plus chaleureuse, dans un petit renfoncement de la salle, à côté du piano. Trois filles, deux garçons. « Le grand frisé et la fille brune aux yeux clairs sont les enfants des nouveaux propriétaires, je crois. » D'emblée, Marie retrouva des sensations familières dans l'énergie de leur groupe. Ils n'auraient pas pu être élèves dans une école de commerce, ni étudiants aux Beaux-Arts. Ni conformistes ni artistes, ils ne manifestaient dans leur style vestimentaire, dans leur façon de se parler, aucune volonté d'ostentation en faveur de la société, ni contre elle. Marie avait décelé tout de suite chez eux cette façon secrète de se placer dans l'attente, l'ouverture à une révélation possible. Bien sûr, ils étaient de la race d'Étienne, de Sarah, de tant de leurs copains qu'elle avait fréquentés.

– Je crois que vous ne vous êtes pas encore rencontrés. Je peux vous présenter Marie ?

Avec Agnès, les choses coulaient toujours si bien. Le petit groupe s'attardait. Plus d'autres clients dans la galerie. C'était le bon moment. Ils firent place pour Marie sur un coin de la banquette.

– J'espère qu'on ne vous dérangera pas trop avec nos petites répétitions… On est venus ici préparer les concours… Vous vivez à Paris vous aussi ?

La fille des propriétaires s'était nommée. « Olivia. Mon frère Joseph… » Marie ne retint pas du premier coup les prénoms des trois autres. Joseph avait pris le relais :

– Ma sœur fait toujours comme s'il n'y avait qu'une sorte de concours…

Mais Marie l'arrêta.

– Je crois savoir de quoi il s'agit.

Et le petit groupe parut stupéfait de l'entendre prévoir la nature de leurs préparatifs, la variété des scènes, se risquer même à pronostiquer les dates du premier tour. Devant leur surprise, elle crut bon de préciser :

– Oui, mon fils a préparé le Conservatoire, ma belle-fille aussi. Ils ont même fini par y entrer. Non sans mal ! Tout ça est tellement subjectif !

Elle savait déjà qu'elle allait les heurter en insistant sur le caractère aléatoire de la réussite. Les jeunes préféraient croire à un esprit, presque une éthique qu'il fallait apprivoiser. C'était tellement plus rassurant. Mais tellement plus cruel aussi, quand le succès n'était pas au rendez-vous. Elle se rappelait sa façon de fustiger sa propre ignorance, à l'époque où elle passait l'agrégation. Elle ne voyait que ses failles, ses béances, justifiait à l'avance tous les refus qu'on pouvait lui opposer. C'était normal, puisque sa culture était si fragmentaire. Vivre lui avait au moins appris cela. Il n'y a pas de « culture ». On sait des choses, on en ignore d'autres. On se débrouille plus ou moins avec tout ça. Ceux qu'on appelle brillants, cultivés, sont le plus souvent des raseurs ronronnant sans vergogne, et lassant leurs proies avec les mêmes effets cent fois reproduits. C'est au nom de toutes ces petites certitudes qu'elle se mit à leur parler comme si elle les connaissait depuis toujours. Mais plus que sa bienveillance trop abondante, ce fut le nom d'Étienne qui transforma l'écoute polie de la petite troupe en ferveur gourmande.

– *Avant* ! s'exclama le garçon blond que les autres appelaient Micka. J'ai vu cinq fois cette pièce quand j'avais quinze ans ! Mes parents m'y avaient traîné, je voulais voir un match du Paris Saint-Germain à la télé. Et après ils n'ont pas arrêté de me chambrer parce que j'y suis retourné avec des copains ou tout

70

seul. Quatre fois ! Personne ne comprenait ma passion pour cette pièce. Elle a changé ma vie !

Marie resta sans voix, bientôt les larmes aux yeux devant cette fièvre. Cela lui arrivait si rarement d'entendre l'écho de traces qu'Étienne avait pu laisser dans sa trop courte carrière. Mais dans le cas de Micka, cela avait même été décisif, l'origine de sa passion pour le théâtre ! C'était trop important pour épuiser le sujet sur un coin de table. Ils se promirent de s'en reparler.

– C'est drôle que nous nous retrouvions comme ça juste à côté de chez vous ! lança Olivia.

– Il n'y a peut-être pas de hasard, dit doucement Agnès qui s'approchait après avoir commencé à éteindre les lampes basses dans la salle.

Un petit silence, comme pour mesurer l'étonnement de se trouver ainsi, dans le grenier à sel du Fahouët. Et Joseph enfin qui crut parler pour tous en proposant de sa voix grave :

– Marie, cela nous ferait tellement plaisir si vous veniez nous voir répéter un de ces jours... Nous avons tellement besoin de conseils en ce moment... Et puis, je crois que ça pourrait nous porter chance !

Climats fermait le dimanche soir et le lundi. Marie ne voulut pas intervenir tout de suite dans le travail de ses voisins. Cela lui semblait un peu lourd de jouer si vite le professeur conseiller. Et quant à porter chance... Elle y songeait en marchant seule sur le sentier des douaniers. Aucun joggeur dans cette partie sauvage, chaotique, qui menait à la petite plage, en allant vers Pirou. Sept heures à peine, le dimanche matin. La météo locale avait parlé d'un temps vivifiant, ce qui peut faire craindre le pire, dans les Côtes-d'Armor. Pourtant il faisait beau. Un ciel parfaitement lavé. La mer passait du bleu au vert autour des rochers découverts. Un de ces coups de lumière dont on sait bien qu'ici ils peuvent s'effacer si vite. « En Bretagne, il fait beau dix fois par jour ! » Marie s'amusait comme tout le monde de ces petits adages autochtones qui relèvent moins de l'autodérision que de la fierté. Pas le même climat qu'ailleurs, c'est sûr. Un temps difficile à prévoir, et Marie avait longtemps maugréé contre ces incertitudes qui viennent bousculer les états d'âme. « On se résigne douillettement au crachin de la mélancolie, et voilà qu'un grand coup de bleu vient vous faire des reproches ! » André avait de jolies phrases comme ça pour traduire ce qu'elle pensait aussi. Comme André semblait loin, ce dimanche matin ! Dormait-il encore, abruti par les calmants, ou par un trop faible désir de remonter à la surface ? En même temps, c'était bien de savoir qu'il était remplacé par une petite troupe de jeunes pleins de rêves qu'il aurait aimé voir secouer le silence de son jardin.

C'était déjà la petite plage déserte. Marie marcha longuement, en quête de bois flottés. Elle avait promis à Agnès d'en chercher pour la galerie, afin de les suspendre comme des mobiles aux poutres hautes. La récolte était bonne. En moins d'une heure elle glana d'étonnantes sculptures abstraites, blanchies comme de l'os, avec encore des taches brunes, des yeux noirs. Elle amoncela un fagot à ses pieds, et s'assit contre un rocher. Quelques chalutiers pimpants quittaient le port du Fahouët, d'où on partait autrefois pour Terre-Neuve. Elle se sentait bien dans son corps, tennis et jean blanc, marinière blanche à rayures bleues échancrée aux épaules, petit collier doré. Envie d'être jolie comme ça, pour rien, pour exister. Peut-être aussi l'excitation légère de cette nouvelle vie à la galerie, la complicité rajeunissante avec Agnès, l'idée d'apparaître autrement dans le regard des autres. S'étourdir du présent, de l'idée du dimanche matin, où tout semble arrêté. Dans un coin de sa tête la maison du Fahouët semblait presque flottante, légère. Moins triste en tout cas que la chambre de la rue Oberkampf. Pierre l'avait désertée. Sa vie n'était pas vide pour autant. La galerie, bientôt la venue de Léa, ces voisins théâtreux qui la sollicitaient...

Et puis ce livre qu'elle avait choisi d'accompagner pour la rentrée littéraire. Elle avait accepté, troublée. Ce petit récit, sorte de fable habile reposant avant tout sur l'évocation de sensations, d'atmosphères, mais orientées subtilement dans l'énergie d'un roman, c'était tellement ce qu'elle avait cherché à faire elle-même, sans trouver le juste lien. Une marchandise *a priori* bien peu marchande, qu'un grand éditeur lui avait confiée au cas où, toi qui aimes les batailles difficiles. D'abord, Marie n'avait été que surprise par la convergence de ce texte avec sa propre façon de voir, de sentir. Une femme, encore jeune, épouse d'un médecin de province, qu'on eût davantage vouée à un bovarysme contemporain, mais qui témoignait d'un sens de la vie très juste, d'une ironie malicieuse dans l'évocation des rapports humains. Marie avait d'abord pensé que le livre n'avait aucune chance d'émerger dans l'avalanche de la rentrée de septembre, ces huit cents bouquins déferlant dans les immeubles des journalistes. Ces derniers y chercheraient d'abord un roman original, candidat iconoclaste aux récompenses de fin d'automne, Renaudot, Femina, Goncourt. Mais depuis qu'elle était free-lance, Marie travaillait sans précipitation, tentant les contacts les plus impro-bables. Et les réactions avaient été stupéfiantes. *Le Monde à portée de main*. Le titre seul, qu'elle trouvait maladroit, avait éveillé aussitôt l'intérêt.

En parfaite connaisseuse du milieu éditorial, Marie savait que le buzz était lancé, que plusieurs grands journaux et magazines avaient incroyablement décidé de faire l'ouverture de leur numéro de rentrée avec un article sur cet ovni. Mais c'était précisément la raison de leur engouement, une façon de pointer aussi l'essoufflement du roman traditionnel, et du roman français en particulier. C'était l'idée qui commençait à s'imposer depuis plusieurs années dans la critique, et qui trouvait avec *Le Monde à portée de main* une occasion inespérée de montrer qu'on pouvait sortir du code, sans effraction révolutionnaire, mais avec une autre manière de dire le monde. Tout le reste allait suivre, les émissions de télévision, de radio, et chaque animateur aurait le sentiment de parler de sa découverte, alors qu'ils parleraient tous de la même chose.

Marie connaissait cela par cœur. Les automatismes étaient très difficiles à mettre en place, mais une fois que la mécanique était lancée... Ce succès tellement inattendu mais déjà programmé suscitait en elle des réactions contradictoires. Bien sûr, elle s'en sentait l'artisan. Dans la ferveur avec laquelle elle avait transmis au mois de juin les épreuves du livre aux principaux journalistes, il y avait eu sûrement un élan, une sincérité qui dépassaient de beaucoup le jeu littéraire. C'était presque son propre livre qu'elle leur vendait ainsi, en se disant qu'elle n'aurait jamais été capable d'en parler aussi bien.

Ce nom donné à une littérature qui se focalisait sur une vision de la vie espiègle et légère, ce nom serait celui de Clémence Valadier, trente-neuf ans, deux enfants, qui n'aimait pas le Lyon's Club de

Limoges dont son mari faisait partie – une des rares confidences qu'elle avait livrées à Marie la fois où elles avaient pris un café à la Rotonde. D'ailleurs, Marie ne préférait pas trop la connaître. Et même, elle avait conseillé à Clémence de ne pas trop *se faire connaître*. Celle-ci avait ouvert de grands yeux, cette perspective ne l'ayant même pas effleurée. Mais Marie lui avait fait comprendre que son existence allait être un peu bousculée, et qu'elle réduirait le caractère littéraire de son succès probable en apparaissant trop à la télévision, et même en parlant trop à la radio. Sa façon de voir la vie risquerait d'être réduite alors à un physique, une appartenance sociologique identifiables. *Le Monde à portée de main* n'apparaîtrait plus que comme une production logique, dont l'originalité disparaîtrait. Clémence hochait la tête, à la fois incrédule quant à son triomphe annoncé, et étonnée par ce que lui en disait cette étonnante attachée de presse, à la fois si intégrée au milieu parisien et si critique à son égard.

Détachée. Oui, Marie se sentait détachée. Détachée de presse, comme le disait la plaisanterie récurrente dans les maisons d'édition. Elle avait gardé cette faculté de se fondre dans le paysage, d'avoir la sensation de devenir tout ce qui l'entourait, les bois flottés, les galets, le vent qui se levait, la mer sous le soleil. Elle ne s'ennuyait jamais seule. Était-elle plus seule depuis que Pierre était parti ? Oui, sans doute, mais d'une solitude qui pouvait se marier à tout ce décor qu'ils avaient aimé ensemble. Seule de n'avoir pas fini d'écrire elle-même un livre très voisin du *Monde à portée de main*. Mais il y avait un cynisme du destin qu'il fallait accepter. Écrit par elle, qui connaissait tout dans le monde de l'édition, le livre n'eût pas reçu le même accueil, elle le savait. Les choses ne sont pas les choses. Elle avait, à faire exister, à soutenir un projet qui n'était plus le sien, puisqu'une autre avait su le réaliser. À bien y réfléchir, l'écriture, la forme du livre n'étaient peut-être pas en fait ce qu'elle rêvait au fond de créer. Le succès du *Monde à portée de main* condamnait une part d'elle-même, mais lui permettait de voir plus clair aussi.

Ce qu'avait frôlé Étienne lui semblait tellement plus incarné, plus proche de son vrai désir. Depuis le début de juillet, les tâches matérielles à la galerie lui apportaient une joie de bouger, de vivre le moment présent qu'elle n'avait pas connue depuis longtemps. Recrue de fatigue, elle plongeait dans le sommeil et ne connaissait plus ces insomnies qui l'étreignaient depuis le départ de Pierre. Trois heures de liberté au milieu de l'après-midi. Elle en profitait pour aller nager par tous les temps à Ploërquy, avec une énergie qui l'étonnait. Les jours où la mer se déchaînait, elle s'amusait de croiser en remontant sur la digue le regard de tous ces passants respectables qui la regardaient comme une folle.

Tellement bon d'être une folle à leurs yeux. Et puis la connivence avec Agnès donnait à tout cela une tonalité de sensualité légère qui comptait un peu plus chaque jour. Elle n'était pas du genre à faire le point, à s'auto-analyser sans cesse. Mais en ce dimanche matin, le paquet de bois flottés à ses pieds, les pieds nus sur le sable, tout cela l'habitait. Le temps qui passe, oui. Mais elle ne ployait plus sous son histoire. Une liberté pouvait tenir dans un coup de soleil sur les rochers du Fahouët. Détachée. Elle se sentait sans trop savoir pourquoi au bord de quelque chose.

– Je m'y suis efforcée de toute ma puissance,
Mais les soins que j'ai pris je les ai perdus tous !
– Vraiment ? Il en sait donc là-dessus plus que vous,
Car à se faire aimer il n'a point eu de peine !

Avec sa rousseur mutine, Jeanne donnait la réplique à Mickaël. Ils jouaient, un pull noué sur leurs épaules. Olivia et Joseph avaient installé dans l'herbe des photophores, et le soir se faisait déjà bleu. Tout le monde s'était assis en tailleur pour les regarder, les mains posées en arrière. Ils avaient fait place à Marie sans obséquiosité, mais elle savait que sa présence changeait les règles du jeu. Souvent, Olivia ou Joseph la regardaient à la dérobée, quêtant sur son visage une approbation, une réticence. Elle se contentait de sourire par moments. Cette cadence des alexandrins,

que l'on respecte en les malmenant vaille que vaille
dans une étroite liberté, pour les rendre vivants...
Ils ne manquaient pas de talent, et le fait de ne pas
jouer en costume donnait toujours à la situation une
modernité séduisante. Car bien sûr, il lui semblait
revivre des moments familiers. D'autres jeunes gens
jouant avec Étienne, et sous le respect du texte, cette
envie d'exister, de s'immerger dans une dramaturgie
pour habiter un rêve obsédant. Devenir comédien. Ils
ne pouvaient deviner les sentiments contradictoires
qui habitaient Marie. Elle aimait cette langue jeune
et vieille, l'éternité sous-jacente que supposait son
vieillissement même, la fraîcheur des corps et des
voix animant le texte qui n'avait jamais cessé de vivre.

Ils passèrent tous devant elle, Olivia, Louise,
Joseph... Molière, Racine, Marivaux... Un soir dans
un jardin en Bretagne, au vingt et unième siècle. Les
propos sonnaient juste. Les voix inégales. Mais elle
fut lâche ce soir-là. Joseph et Louise – oui, déjà elle
la distinguait facilement de sa sœur jumelle Jeanne –
avaient préparé le barbecue. Après la répétition, ils
firent griller des sardines, et l'on but du muscadet.
On enfila les pulls. Marie se sentait bien avec eux, ne
voulait pas trop jouer au prof. Quelques conseils de
déplacements originaux de postures utilisant davan-

tage l'espace furent pourtant les bienvenus. Mais ce qu'elle voulait leur dire vraiment était si délicat. Elle avait bu un peu trop de vin blanc, elle riait fort. Un jour elle leur dirait. En remontant beaucoup plus tard vers l'aile déserte de la maison, elle crut entendre la voix d'André, impérieuse et douce. Oui, Marie, il faudra leur dire.

Mais leur dire quoi ? Les jours suivants elle se sentit distraite, fit quelques erreurs en cuisine, au service. Agnès la plaisanta gentiment, son doigt tapotant le front de Marie : qu'est-ce qui se passe sous cette petite tête ? Oui, il se passait des choses. D'emblée, elle avait perçu l'unité du groupe menacée par des dissensions sentimentales. Mais ce qui les reliait était plus fort, l'intensité des rêves partagés.

Elle avait tellement connu ça. Elle se rappelait en souriant toute seule ce film qui avait tant compté pour elle, et dont Étienne avait senti le poids. Dans *Le Cercle des poètes disparus*, il y a cette scène où le prof de latin se tourne au réfectoire vers son jeune collègue révolutionnaire et lui dit :

– Montre-moi un cœur débarrassé du fardeau de ses rêves, et je dirai : voilà un homme libre !

Bien sûr la scène tournait ensuite à son désavantage, mais ces mots gardaient leur poids. Elle ne souhaitait pas débarrasser ces jeunes du fardeau de leurs rêves. Mais comment leur expliquer sans les choquer sa conviction profonde ? Ils étaient doués, intelligents, c'était immédiatement perceptible dans leur possession de la langue. Les deux jumelles lui rappelaient un peu Sarah, avec davantage de pétulance et moins de hiératisme. Mais quoi ? Leurs velléités de mises en scène restaient dérisoires. Ils attendaient quelqu'un. Marie le savait trop. Ce quelqu'un serait un professeur de conservatoire, à Paris ou à Strasbourg dans le meilleur des cas, à Limoges, à Agen ou à Rouen plus probablement. Ils passeraient sous la coupe d'un homme de théâtre qui les impressionnerait par son aisance, sa connaissance du milieu, son mépris. Ils se livreraient sans toujours les comprendre à des caprices esthétisants qui leur sembleraient le dernier chic, tellement à l'opposé des clubs théâtre de collège et de lycée où leurs envies s'étaient développées, et sur lesquels ils porteraient désormais un regard un peu tendre, amusé, si condescendant. Chacun suivrait sa voie, ou le croirait.

ELLE MARCHAIT SUR UN FIL

Ce fut Micka qui créa l'ouverture. Une semaine avait passé. Marie les avait croisés deux ou trois fois sur la plage. Le vendredi après-midi, une chaleur sereine s'était installée, si rare dans la première quinzaine de juillet. La marée sans trop d'amplitude avait laissé un grand espace de sable doux, chose précieuse à Ploërquy. Au lieu de courir à la spartiate vers la digue, Marie s'était allongée, dans ce maillot noir qui soulignait son hâle commençant. Sa peau prenait bien le soleil, et puis en Bretagne on bronze sans s'en apercevoir, dans la fraîcheur et l'air iodé. Elle avait plaisir à se sentir encore tonique, et plus encore après la nage, dans la paresse et l'abandon. Elle regretta quelques secondes de ne pas avoir pris de livre, mais non, c'était mieux.

Elle se surprenait depuis quelques jours à se sentir étonnamment bien dans une rêvasserie indécise. Elle regardait la mer, sans plus. Elle aperçut bientôt Olivia et Micka qui revenaient de l'eau. Le beau temps les avait sans doute poussés à oublier Molière et Marivaux. Ils se tenaient par l'épaule, et se désenlacèrent en reconnaissant Marie. Ils s'installèrent à ses côtés comme deux vieux amis, déjà. Le « on ne vous dérange pas ? » était de pure forme. Ils échangèrent quelques supposées banalités météorologiques. En bonne proustienne, Marie ne trouvait pas qu'il fût dérisoire de parler du temps. Elle aimait cette scène de *Du côté de chez Swann* où Bloch déplaît au père du narrateur en lui disant : « Je ne puis absolument vous dire s'il a plu. Je vis si résolument en dehors des contingences physiques que mes sens ne prennent pas la peine de me les notifier. » Après son départ, il reçoit du père ce jugement sans recours : « Il est idiot, ton ami (...) Comment ! il ne peut même pas me dire le temps qu'il fait ! Il n'y a rien de plus intéressant ! C'est un imbécile. » Marie avait plaisir à citer *in extenso* ce dialogue à tous ceux qu'elle voyait agacés par les propos climatiques. Dans le milieu littéraire, il y avait étonnamment bien davantage de Bloch que de proustiens.

Ils se turent un moment. Olivia traçait distraitement des lettres dans le sable avec une coquille. Sans quitter du regard le rocher du Berdelet, Micka commença à se risquer, hésitant tout d'abord, et puis prenant de l'assurance au fil des phrases.

– Vous savez, Marie, je crois que nos petites scènes ne vous ont pas trop convaincue, l'autre soir... En les jouant devant vous, je me suis senti si dérisoire. Et puis je me rendais compte que nous n'avions rien de bien original à vous proposer.

Comme Marie tentait une moue dubitative, Micka reprit, plus enfiévré :

– C'est peut-être aussi de vous avoir parlé du spectacle d'Étienne. C'est ce qui m'a donné envie. Il y avait là une troupe, un élan différent. Un spectacle différent.

Un sourire un peu rêveur était monté aux lèvres de Marie.

– C'est drôle, vous avez tous senti ça ? Et moi qui ne savais comment aborder la question sans vous blesser !... Aucun de vous ne manque de talent. Et si vous persistez dans votre travail, je suis sûre que vous intégrerez des centres dramatiques. Mais...

Elle regarda la mer au loin, comme pour donner plus d'ampleur aux mots qui allaient lui venir.

– Mais je crois qu'il y a mieux à faire, oui. Si vous vous contentez de préparer les concours, vous allez vous éparpiller, connaître des succès variés, vous jalouser un peu les uns les autres, et vous éloigner pour supporter tout ça... Je ne vous connais pas bien encore, mais je sens que vous pourriez faire quelque chose ensemble. Il y a chez vous des tempéraments opposés, complémentaires, même entre Jeanne et Louise, qui sont un peu de fausses jumelles...

– J'avais tellement envie d'entendre ça ! s'écria Micka

avec un enthousiasme qui les fit rire tous les trois.
On pourrait s'en parler, si ça ne vous embête pas ?

Marie affirma presque tristement :

– Il n'y a rien qui puisse me passionner davantage !
Mais les autres ?

– Ils pensent comme nous ! dit Olivia.

– Alors dimanche matin, ça vous va ? Je vous
emmènerai dans ma petite crique secrète. Et on se
parlera.

Quelques marcheurs et coureurs à pied sur le sentier des douaniers. Au loin, l'anse de la baie de Saint-Brieuc se diluait dans la brume. On ne distinguait pas les falaises de Paimpol. La marée montante réduisait la crique à presque rien, une langue de sable et des rochers sur lesquels on pouvait s'asseoir. C'était encore mieux comme ça. Un lieu pour les épanchements, les confidences. Il ne faisait pas chaud. Ils avaient mis des pulls et se frottaient les épaules et les bras pour se donner une contenance. Marie savait qu'il y avait là quelque chose d'important. En dépit de toute logique, le grand événement de son automne ne serait pas le triomphe désormais presque programmé du *Monde à portée de la main*, mais ce qui pourrait sortir de ce conciliabule intimidant, dont les contours étaient à inventer.

Intimidant. C'était à elle de prendre la parole et de les emmener. Vers quoi ? Elle le savait sans le savoir. Elle commença tout doucement, angoissée par cet enjeu qu'elle sentait peser sur eux, sur elle. Elle n'avait pas la science infuse, mais quelques certitudes sur les chemins à ne pas prendre. D'abord, ne pas disloquer dans des rêves épars cette force qu'ils avaient : être un groupe, une troupe en puissance. Réussir ou rater les concours, ce serait forcément pour eux se séparer dans l'espace et le temps, croire chacun à une étoile différente. En toute humilité, elle leur dit à quel point elle s'était trompée au sujet d'Étienne, pensant que c'était gagné pour lui quand il avait franchi les portes du Conservatoire, alors que tout était à faire. Elle sut trouver la fermeté nécessaire pour leur faire sentir à quel point il était malsain et presque obligé de révérer les manies et les caprices des professeurs, en espérant que de tant de docilité viendraient un coup de pouce, un piston pour un rôle. Que réussir sa vie ne pouvait venir de cette soumission mentale, et parfois sexuelle, de cette obséquiosité de mauvais aloi.

– Mais, objecta Joseph, en ce qui concerne Olivia

et moi, mes parents veulent bien nous payer une année d'études, à condition que ce soit pour passer les concours officiels. Déjà, ça n'a pas été du gâteau pour les convaincre.

Marie balaya l'argument en souriant :

– Vous ne réussirez rien de personnel si vous dépendez de vos parents. On ne devient pas comédien comme on devient banquier ou médecin. Il vous faudra livrer des pizzas, servir dans un McDo, tenir la caisse d'un supermarché. Acheter la pureté de votre envie.

– En baver, quoi ! lança Jeanne.

– Oui, en baver. On ne crée pas avec une cuillère en or dans la bouche.

– Pour vous, interrogea Louise, jouer c'est créer ?

Marie resta un moment interdite, remonta les manches de son pull marin. Elle allait beaucoup trop vite, entraînée par ce projet dont elle ne savait pourtant pas grand-chose.

– Oui, bonne question Louise, j'ai dû sauter une étape, là.

Elle reprit d'une voix plus posée. Il ne s'agissait plus de critiquer, de dénoncer les miroirs aux alouettes d'un système vicieux, mais de proposer autre chose.

– Parce que, pour moi, c'est un peu une évidence.

Puisque vous avez la chance de vous être trouvés, si vous avez la force de rester ensemble, oui, je trouve que ça serait tellement mieux de créer le spectacle qui serait vraiment vous, au lieu de chercher un texte qui vous conviendrait à peu près, et qui n'épouserait que de loin votre personnalité.

– Mais il faudrait l'écrire ! s'exclama Micka. Vous savez combien j'ai aimé *Avant*, cette idée magique de mettre en perspective une pièce que l'on doit jouer. Encore faut-il trouver un auteur pour incarner ce genre d'idées, les lier à la singularité des acteurs. Qui voudrait écrire sur nous ?

– Écrire sur vous, je ne sais pas. Mais avec vous, pourquoi pas ? Oui, je crois que je connais quelqu'un que cela tenterait...

Le sourire de Marie les gagna tous dans le long silence qui suivit. Bien sûr, ils avaient compris ce qu'elle venait elle-même de saisir. Mais ils n'osaient pas vraiment l'interroger. Et elle, surtout, se sentait tout à coup si démunie, repensant avec une infinie tristesse à ce soir où Étienne et Sarah avaient éludé sa proposition d'écrire pour eux. Elle se sentait tellement capable de porter, d'accompagner un projet différent – et en même temps si effrayée de voir son offre rejetée. Elle connaissait tout cela. Le monde de l'édition était comme celui du théâtre. Il fallait pouvoir se trouver en position d'être demandé, jamais demandeur. C'était comme en amour, « si je te suis tu me fuis, si je te fuis tu me suis »... Olivia, Joseph, Micka, Louise et Jeanne se concertaient du regard, avec des hochements de tête interrogateurs. Impossible de parler pour les autres. Cela dura un temps qui leur sembla à tous infini. Et puis les hochements de tête devinrent approbateurs, comme s'ils répondaient par l'affirmative à la question qu'ils ne s'étaient pas posée. Ce fut Joseph qui se lança :

– Marie, je crois que c'est ça, notre envie profonde. Et puis, il n'y a pas de hasard. Ces deux maisons mitoyennes... Vos rêves et les nôtres qui peuvent se croiser. Oui, ça serait merveilleux si nous pouvions tenter cette aventure ensemble !

Une incroyable plénitude gagnait Marie en entendant ces mots. Son sang battait plus vite. Elle se sentait à la seconde rajeunie de vingt ans. Elle dormirait très mal la nuit suivante, elle le savait, mais cette perspective la rendait si heureuse. Elle dormait beaucoup trop bien, depuis quelque temps. Des idées allaient déferler, se combattre, déboucher sur d'autres idées.

– Mais, objecta Jeanne, vous n'allez pas avoir le temps. Il y a la galerie...

– Ah ! oui, la galerie, c'est vrai ! reprit Marie comme une petite fille prise en faute.

Et puis si vite résolue :

– Dès demain, j'irai voir Agnès. Il y a sûrement moyen de s'arranger ! Si vraiment vous comptez sur moi, il y a moyen de s'arranger !

Marie savait qu'elle trouverait Agnès à la galerie, malgré la fermeture du lundi, elle devait y mettre en place les tableaux d'une jeune artiste. Le vernissage aurait lieu le vendredi soir – autant que les vacanciers, Agnès espérait des fidèles venus pour le week-end de Rennes ou de Saint-Brieuc.

– Je passerai peut-être te donner un coup de main, voir avec toi ce que ça donne.

C'était bien, cette atmosphère silencieuse mais fébrile des préparatifs. La lumière du matin pénétrait à l'oblique dans l'atmosphère à la fois scandinave et britannique de l'ancien hangar à bateaux. Des poussières de miel suspendues, et, partout sur le sol, appuyées contre les tables, les consoles, les œuvres de Violaine, graphiste vendéenne dont la cote commençait à monter. Des toiles très maritimes bien qu'abstraites, maritimes par l'accord des à-plats blanc cassé, bleu-gris, noir fumée. Violaine y avait incorporé parfois des effets de matière, des cartonnages, des tissus. Un univers lumineux et un peu triste. En l'englobant d'un seul coup d'œil, Marie pensa que c'était sûrement encore plus séduisant comme ça, dans le désordre préparatoire, avec des cadres superposés parfois, sans efficacité délibérée.

Agnès ne l'avait pas entendue entrer. Marie lui trouvait une classe folle avec sa silhouette souple, ses cheveux mi-longs, un jean, un tee-shirt blanc, pieds nus sur le parquet, si parfaitement en accord avec son lieu. Allait-elle savoir lui annoncer qu'elle devait renoncer à l'aider à la galerie ? La veille, dans l'énergie du projet, cela lui semblait si facile. Mais là, elle craignait de se trouver coincée. Comment imposer son départ s'il prenait trop Agnès au dépourvu ? Et puis elle se sentait bien, là. La complicité avec Agnès avait changé depuis le début du mois. Une amitié où les mots n'étaient plus toujours nécessaires. Une amitié dans un élan, un partage, mais surtout cette révélation : dans le partage des tâches quotidiennes elle se sentait bien avec Agnès. Un passé si mal effacé, si proche, faisait partie de ce non-dit, donnait une assise de sérénité mélancolique à la plénitude du présent. Oui, elles savaient vivre ensemble.

Marie lança un bonjour d'une gaieté un peu appuyée. Accroupie devant une toile, Agnès se retourna.

– Ah ! c'est toi ! J'ai bien avancé, tu vois ! Et puis Violaine doit passer dans l'après-midi pour l'accrochage définitif. On prend un café ?

Marie mit la machine en marche, et prépara deux expressos. En posant les tasses en terrasse, elle songeait à ce rituel du café matinal pour déguster quelques gouttes de temps. Des gestes tellement inscrits dans un code que leur matérialité se dissipait comme de la fumée. Ainsi, cette façon qu'avait Agnès d'enrober à deux mains la tasse encore posée sur la table. Des gestes de plaisir et de pudeur, pour se cacher en se parlant.

– Eh bien, dis donc, ma petite Marie ? Pas bavarde, ce matin ?

Marie jeta un regard sur le port où les bateaux de pêche affleuraient le quai avec la marée haute.

– Non, pas bavarde, je confirme ! Ou plutôt, envie de te dire quelque chose d'un peu difficile.

Mais il était dit qu'avec Agnès rien ne serait difficile. La galerie ? Non, pas de vrai problème. Une jeune étudiante du Fahouët lui avait proposé ses services huit jours avant. Il faudrait la former, bien sûr, mais rien d'impossible, ou plutôt si – ça serait forcément autre chose.

Marie tendit une cigarette à Agnès, qui ne fumait pas d'habitude. Elles prolongèrent le silence, dans le geste du briquet allumé dont la flamme vacille au vent, dans l'exaspération des premières bouffées, la dégustation ostentatoire de l'atmosphère du Fahouët un matin d'été, aucun touriste encore, la fraîcheur lumineuse. Et puis leurs regards qui se croisent, et les mots d'Agnès, si lentement :

– C'est drôle, cette façon qu'on a de s'étourdir toutes les deux.

– On s'étourdit, tu crois ?

Elles se regardèrent et se sourirent avec une petite brume complice au coin de l'œil.

Oui, elles s'étourdissaient. Agnès en avait peut-être davantage conscience que Marie. En mêlant galerie et restaurant, elle savait que ses journées seraient prises du matin au soir, et qu'elle ne retrouverait un peu de vide qu'avant la fin de la saison. Pour Marie, c'était plus insidieux. Travailler à *Climats* lui avait permis d'oublier l'exigence du microcosme littéraire parisien. Mais sa nouvelle envie la consumait tout entière. Agnès lui rappelait que cela pouvait être aussi une fuite. Elles étaient devenues amies dans le silence partagé, et plus encore dans l'agitation de *Climats*, des petits gestes de tendresse effleurée au milieu de la bousculade. Le remords de s'éloigner donnait l'envie de s'épancher. Les mâts des voiliers tintinnabulaient dans le ciel clair.

– Tu revois Stéphane, quelquefois ?

Agnès n'en parlait jamais. Pour la première fois, Marie avait senti son envie de se livrer.

– Oui. Assez souvent, mais... Pourquoi ne jamais te le dire ? Pour moi, les femmes de notre âge quittées par leur mari ou leur compagnon de vie au bout d'un long chemin, c'est comme une évidence un peu honteuse, presque inéluctable. Je me suis toujours demandé quand ça arriverait... Eh bien, c'est venu au moment où je l'attendais le moins. Une petite escapade à Bruges, où nous avions plein de souvenirs ensemble.

– Depuis, il est toujours avec la même femme ?

– Non, jamais ! Le boulot l'emmène aux quatre coins du monde en permanence. Il fait partie de ces hommes qui passent leur vie dans des aéroports, dans des avions, il dit qu'il adore ça, que c'est la vraie vie, la vie d'aujourd'hui.

– Pierre est pareil. Il se déplace moins, et je le vois très peu, mais chaque fois il exalte la beauté du monde moderne, la vitesse, une espèce d'ubiquité physique et technique que je trouve frénétique, mais qui doit le rassurer.

– Oui, c'est drôle d'en parler seulement maintenant. Ils doivent se ressembler. Ils disent qu'il y a toute la mémoire dans leurs écrans plats, mais c'est leur mémoire à eux qui est un écran plat. Ils pourraient la consulter, mais ils ne le font pas. Ils pensent qu'ils possèdent, et ils effacent. Le disque dur existe-t-il ?

Agnès accepta une cigarette et reprit, un peu ironique :

– Le pire, c'est que je reste son point d'ancrage. Quand il fait une nouvelle conquête, il vient m'en parler avec une espèce d'inconscience incroyable, mais c'est de ma faute. Et il veut que je sois heureuse pour lui ! En même temps, il me dit que j'ai bonne mine, me félicite pour une nouvelle coiffure ou pour ma ligne. Il me regarde comme une amie, une femme à qui l'on dirait tout, mais qui à l'évidence ne pourrait plus être sa femme.

Pierre était bien différent sur ce point. Très gêné pour parler de Sophie, de vingt ans plus jeune que lui et comme lui architecte. Pas très spectaculaire physiquement. Son emprise sur Pierre était plus secrète, jouait sur une part de lui que Marie ne pouvait rationnellement envisager. Les propos d'Étienne et de Sarah au sujet de Sophie étaient eux-mêmes empreints d'une réserve indéchiffrable, et puis ils la voyaient très peu. Elle n'avait manifestement pas entrepris de séduire Léa, n'avait pas recours aux stratégies classiques.

Cela lui faisait du bien de tenter de dire cela à Agnès. Mais cette dernière ne s'enferra pas dans le jeu des différences. Elle souffla longuement la fumée dans la fraîcheur ensoleillée du port.

– Marie, est-ce que nous sommes en attente ?

Marie poursuivit son travail à *Climats* jusqu'au vernissage de Violaine. Quatre jours étonnants, vertigineux, et le trac d'avoir à faire naître le projet du spectacle. Ça, c'était quand elle rentrait, très tard, à la Petite Roquette. Pierre avait trouvé ce nom un peu incongru pour leur maison. Le nom d'une prison pour un lieu de liberté, et puis cette allusion bien sûr à la roquette sauvage, qui poussait un peu partout dans le jardin, et dont il était délicieux de mêler sur la langue le goût amer à l'idée sucrée de l'été.

Comme giflée, saoulée de présent, elle reprenait le chemin des douaniers dans la lumière mauve, l'avenir l'envahissant d'une sourde inquiétude. Il fallait commencer à lancer sa petite troupe sur une voie nouvelle. Leur confiance la touchait infiniment. Elle savait cependant qu'ils manifesteraient vite leurs réticences si le projet ne les embarquait pas d'emblée. Mais quel projet ? Marie sentait qu'il fallait commencer par remettre en cause la notion de rôle, et la problématique traditionnelle : entrer ou non dans la peau d'un personnage. C'était étrange, car elle prenait ainsi à rebours le prologue d'*Avant*, la seule pièce où elle avait vraiment aimé Étienne comédien. Dans le début d'*Avant*, un à un les acteurs se présentent, et disent *comment ils voient* le personnage de la pièce qu'ils vont interpréter. Marie avait aimé cette mise à distance, cette intégration de la personnalité des acteurs dans leur rôle. Mais en fait, elle se sentait agacée désormais par la sacralisation de cette notion de rôle, par l'existence même des rôles.

Elle rentrait dans la maison vide et grimpait tout en haut, dans la pièce bibliothèque dominant la mer. Elle y avait installé un futon et ses insomnies. À la lumière d'une lampe basse, elle y grillait cigarette sur cigarette, une mauvaise habitude reprise avec une satisfaction d'étudiante. Elle qui choisissait autrefois les paquets de cigarettes en fonction de leur emballage regardait les boîtes noires des Dunhill posées sur le parquet. Bien sûr il y avait maintenant ce rectangle menaçant, comme un faire-part : Fumer tue. Oui, fumer tue. Mais vivre tue aussi. Et elle aimait sentir dans tout son corps un mélange de pacification et de frénésie retrouvée. Elle devait mettre à profit cette semaine où elle travaillait encore à la galerie, avant le début de l'immersion dans le spectacle avec ses voisins. Ils étaient convenus de ne parler de rien ces quelques jours, de ne pas se perdre en palabres. De chercher.

De cigarette en cigarette, Marie avait trouvé une situation liminaire. Tous les cinq se préparent à passer le concours du Conservatoire. L'un d'eux – Joseph, peut-être, ou Jeanne – a l'idée de travailler pour le tour final des interviews d'acteurs célèbres évoquant leur façon de concevoir un personnage qu'ils interprètent, ou vont interpréter. Ils écoutent ensemble, l'ordinateur est posé sur une table basse :

– Tiens, c'est marrant, ce que Belmondo disait de son rôle dans *Moderato cantabile*. On est loin de ce que Jeanne Moreau pense du film, écoutez !...

Ils interrompent la diffusion de l'extrait et se mettent à parler. Micka, Olivia et Louise éprouvent un malaise devant ces analyses :

– Tu trouves ça génial, mais en fait, c'est juste des clichés. Le texte, le rôle, le metteur en scène ! On dirait que c'est la messe !

Ils poussent loin la discussion, qui devient orageuse. Marie imaginait bien Jeanne déclarant soudain avec son timbre un peu voilé qui impose paradoxalement le silence :

– Moi, en fait, ce que j'aime, c'est le théâtre de Nathalie Sarraute. Le fond de la nature humaine révélé par des petites phrases, ou même seulement un mot, et surtout par la façon de le dire. Vous ne connaissez pas *Pour un oui pour un non* ? Deux amis qui se sont éloignés, comme souvent dans la vie, et quand ils se retrouvent, l'un avoue ignorer pourquoi ils ont été en froid, et l'autre affirme que c'est juste à cause d'une toute petite phrase, un jour où il se vantait d'un succès personnel et que son ami lui avait répondu distraitement « C'est bien... ça ! », avec juste un écart entre le « c'est bien » et le « ça », et c'est cet écart qui marquait toute son indifférence. On a tous fait des trucs comme ça, et y voir la clé des sentiments les plus profonds, je trouve ça extraordinaire !

Et Joseph serait tellement lui-même en répondant :

– Mais c'est de l'enculage de mouches ! On ne peut pas prétendre créer de la vie sur scène en disséquant des mots ! Il faut le langage du corps, l'énergie...

Oui, pas seulement des mots. Et parfois, pas de mots du tout. C'était l'idée de Marie. Elle sentait en même temps le prodigieux orgueil qu'il y avait à balayer d'un revers de main tous les textes déjà écrits. Elle savait bien que tout était déjà dit, que vivre c'était recréer à l'infini un éternel humain. Le principe même du théâtre. Demander à Aristophane, Molière ou Camus de se pencher sur aujourd'hui, voir en quoi ils avaient nommé aujourd'hui. Mais tant pis pour ça. La commedia dell'arte, c'était le théâtre aussi. Elle hésitait passionnément dans la fumée des cigarettes. Quelque chose allait venir.

Une évidence. Ce fut cela qui emporta l'adhésion du petit groupe. Le spectacle – déjà ils disaient *le spectacle* – leur apparut comme une évidence. Marie cherchait encore, mais pas depuis quatre nuits et quelques paquets de cigarettes. Depuis si longtemps. Depuis le jour peut-être où Étienne et Sarah avaient pris ce petit air gêné, quand elle leur avait proposé d'écrire pour eux. Mais Étienne était bien trop proche. Tant que Marie s'était contentée d'encourager son goût de faire du théâtre – avec une ferveur lourde à supporter déjà – il pensait que c'était une chance d'avoir une mère qui l'avait compris. Peut-être son désir de devenir saltimbanque se serait-il effacé si Pierre n'avait pas marqué sa défiance. Quelle que soit la voie choisie, ce n'est pas très excitant pour un adolescent de se conformer aux projets de ses parents. Étienne avait secrètement su gré à son père d'incarner une opposition, une absence de conviction à secouer. Du coup, son envie demeurait rebelle, adolescente. En refusant l'intrusion de Marie au cœur de leur vie comédienne, Étienne et Sarah avaient évoqué l'impossibilité de réussir comme ça – il fallait passer par les idées des gens du milieu théâtral, les protections, les recommandations des metteurs en scène, des professeurs du Conservatoire... Pour Marie, ce refus embarrassé avait été une longue blessure. Elle mettait moins à vif sa volonté d'infléchir la vie de son fils que son envie profonde de créer pour le théâtre. Elle avait déjà des visions, des images. Tant de spectacles marginaux qu'elle était allée voir avaient nourri son inutile volonté.

Oui, c'est cela sans doute qui la rendit si fiévreuse et si enthousiaste, quand elle se retrouva avec Olivia, Joseph, Micka, Jeanne et Louise. Elle leur suggéra de se représenter eux-mêmes à travers ce qui leur semblait une évidence dominante dans leur façon d'être. Elle leur proposa des exemples et les laissa en proposer.

Ça se passait dans sa cuisine, coude à coude sur la table, dans l'odeur du café et des cigarettes. Un moment déroutés, craignant d'avoir à intervenir de façon disparate et successive dans le spectacle, ils commencèrent à sourire quand Marie leur dit comment l'obsession de chacun allait devoir rencontrer celle des quatre autres, s'y opposer et s'y mêler, dessiner des fragments reconstruits comme une figure de kaléidoscope, mouvante, infiniment renouvelée. Tout de suite, il y eut aussi l'idée que la parole ne devait pas seule habiter la scène. Qu'il y faudrait de longs silences, une gestuelle à inventer, une esthétique. Une féerie, peut-être. Qu'il faudrait voir ce qu'ils savaient faire, ce qu'ils pourraient découvrir d'eux-mêmes.

Et ce fut un étrange matin d'été. Dehors, le crachin persistant voulait aussi les tenir là. À parler d'un spectacle. Et puis à parler de la vie. Marie avait beaucoup pensé à jouer sur une opposition entre les jumelles. Mais Louise et Jeanne bousculèrent ses propositions en allant encore plus loin. Louise voulut l'amour physique, le désir, Jeanne voulut l'enfance. Cela parut d'abord une provocation, dans la volonté d'afficher un écart entre elles. Mais bien vite Micka, Olivia, Joseph et Marie plus encore virent tout le parti que l'on pouvait tirer de ces deux absolus *a priori* inconciliables dans la façon d'appréhender l'instant. D'autres mots furent lancés. Attente, espoir. Pour

Olivia, ce fut une évidence. Elle pensait à cette façon compulsive qu'elle avait de se projeter vers un plus tard qui devait tout lui donner.

– Si je dis sagesse, fit Marie en retour, je n'aurai sans doute pas beaucoup d'écho ?

Ils furent tous surpris de voir Micka réagir aussitôt. Oui, Micka, le plus bouillonnant du groupe, séduit tout à coup par cette gageure qui semblait aller à l'encontre de sa nature.

– Si, moi je vois plein de choses, là ! Ça vous fait sourire, peut-être parce que j'ai l'air de vouloir tout casser, tout précipiter, mais au fond, je crois que c'est juste le contraire. J'aime être dans l'instant, dans l'énergie du moment. Là, c'est idiot, parce qu'on tire des plans sur la comète, mais en fait je suis bien simplement d'être avec vous. Je sais que, quoi qu'il arrive, ça sera un bon souvenir... Et puis c'est excitant de trouver tout un univers dans ce qui semble le plus banal...

Bien sûr, c'était étrange d'entendre Micka s'engager avec tant de ferveur dans un plaidoyer pour la satisfaction du présent – et cette envie de s'inventer des rêves pour le plaisir d'avoir connu des rêves, et non celui de les réaliser. De se tenir à l'abri de l'espérance. En même temps, Marie se souvint de leurs silhouettes enlacées sur la plage, avec Olivia. Peut-être étaient-ils attirés l'un vers l'autre en raison de cet antagonisme que le projet de spectacle mettait au jour. Micka voulait rêver de fuites à l'abri d'un cocon. Et Olivia serait la fuite, et Micka l'aimerait pour ça. L'aimait déjà pour ça, sans doute.

– Et moi, Marie, je sens déjà ma voie. Je serai le Monsieur Loyal de ce cirque, ou bien le chœur antique de cette tragédie, ou bien tous les baltringues monteurs de chapiteau.

Joseph s'était lancé à son tour avec une ironie dont personne ne fut dupe.

– Monsieur Loyal, je ne sais pas, fit doucement Marie. Mais oui, ça serait bien que tout cela ait une vraie substance de spectacle de cirque, pour la qualité du risque, la poésie du moment pur. Le désir, l'enfance, l'espoir, la sagesse fragile du bonheur. Toutes ces contradictions apparentes qui sont peut-être la vie.

Elle sembla hésiter, écrasa sur la soucoupe de sa tasse à café une cigarette à demi consumée avant d'en allumer une autre – comme si la flamme du briquet prolongeait l'étincelle qui venait de naître.

– Je vois quelque chose qui pourrait rassembler tout cela. Un objet et une métaphore. Un fil de funambule tendu à travers l'espace de la scène, et qui la diviserait dans tous les sens, créerait un en deçà, un au-delà, une envie d'aller quelque part pour le danger d'aller quelque part...

Et se tournant vers Joseph :

– Il me semble entendre ta voix, Joseph. Tu parlerais de ce présent comme on parle d'une histoire déjà passée, tu sais, comme dans *Moderato cantabile* de Duras : « Le moment est venu où il a pu lui dire... » Mais ce qui serait bien, ça serait que tu ne t'en tiennes pas à la neutralité du chœur antique, qu'à un moment tu deviennes acteur de l'histoire, que tu persuades les spectateurs qu'ils sont aussi embarqués malgré eux.

Elle s'arrêta. Dehors, malgré la pluie fine, le ciel avait pris une intensité diffuse, une déchirure esquissée mais déjà presque sûre à qui savait décrypter le crachin du Fahouët. Ils se regardèrent. Heureux. Intimidés. Voilà. Ils allaient inventer *Le Fil*.

La voix d'André était si pâle, si monocorde, si rési-
gnée. Première fois qu'elle l'entendait au téléphone.

– Ne vous affolez pas, Marie. Ils ont juste décelé
une petite faiblesse cardiaque, et on m'a posé une
valve. Mais maintenant la machine semble bien
repartie. Et comme je ne comptais pas participer
au marathon de New York cette année...

Elle avait pensé tout de suite à Proust, bien sûr. Le
plus curieux, c'est qu'André lui-même lui avait parlé
à plusieurs reprises de ce passage de *La Recherche*,
l'un de ses préférés. Le narrateur a l'occasion de
téléphoner à sa grand-mère. Début du vingtième
siècle. Il y a encore si peu d'appareils téléphoniques
dans les maisons. Et comme souvent, une innovation

technologique est la source de sensations nouvelles. En entendant sa grand-mère au téléphone, le narrateur a soudain cette certitude : elle va mourir bientôt. Ce que la fréquentation physique quotidienne dissimule – peut-être parce que les gestes, les regards savent donner le change, distillent une petite effervescence mensongère, dans une comédie de la pudeur maîtrisée –, la vérité absolue de la voix humaine le révèle.

André allait mourir bientôt. Agnès croisa le médecin quand elle pénétra dans le salon de *La Petite Madeleine*.

– Je vous assure, une intervention anodine. Votre ami André devrait même retrouver une vitalité nouvelle.

Agnès écouta ces propos lénifiants en hochant la tête. Elle avait entendu la voix d'André. Elle savait. Il n'avait plus vraiment envie de vivre. Mais envie de la voir – il s'était si peu récrié quand Marie avait dit « Je viens ». Il était un peu émacié, avait gardé la coquetterie juvénile d'un tee-shirt et d'un jean noirs. Marie imaginait la familiarité pesante d'une infirmière lui répétant : « Il faut mettre des couleurs ! Du noir, toujours du noir ! Votre fils vous a offert deux jolies chemises à carreaux ! »

Oui, son fils Jean-Baptiste était passé le voir – un

114

saut en France pour affaires avant de repartir à Hong Kong.

– Vous savez, Marie, un de ces métiers auxquels on ne comprend rien, un nom anglais que j'oublie chaque fois.

André avait refusé de communiquer par Skype, malgré l'insistance de Jean-Baptiste :

– Ça serait sympa, pourtant. Tu pourrais voir Shansin et les enfants, notre lieu de vie. C'est tellement simple !

Tellement simple d'avoir un fils unique qui vit à Hong Kong ! Marie savait, et comprenait aussi Jean-Baptiste. Difficile de porter comme un remords cette distance infinie que la vie moderne imposait si souvent. Alors les enfants évoquent des voyages en avion que leurs vieux parents ne veulent plus faire, parlent de Skype et haussent les épaules, désolés.

– Mais je vous embête avec toutes ces technologies fielleuses. Parlez-moi plutôt de tout ce que vous faites !

Et Marie se surprit à éluder en quelques secondes le succès annoncé du *Monde à portée de main* pour se lancer dans l'évocation du *Fil*.

– Ces jeunes sont incroyables, André ! Ils se sont embarqués dans le projet avec un enthousiasme, une rigueur qui me font peur parfois. Je me sens

115

tellement responsable. Ils ont l'impression de jouer tout leur destin dans cette aventure. Et moi, j'avoue que cela me passionne, que j'ai beaucoup de mal à penser à autre chose. Mais l'enjeu n'est pas le même. Ma vie est faite.

– Quand je vous entends, Marie, j'ai beaucoup de mal à penser que votre vie est faite. Ce fil naissant compte infiniment pour vous, je crois.

Pour la première fois, Marie avait à rendre compte de l'évolution du spectacle. Elle dut formuler le sentiment qui l'habitait confusément depuis quelques jours. Oui, autour de toutes les idées éparses un ton était né, un rythme. Des idées essentielles échangées, en opposition d'abord, et puis un apprivoisement réciproque des caractères et des personnalités en accord avec de purs moments poétiques, du jonglage, des bulles de savon, un apprivoisement du funambulisme. D'emblée, le silence avait alors été préféré à une possible illustration musicale – Joseph jouait remarquablement du saxophone. Des blessures, des fêlures exposées, et puis des sensations infimes. Ils s'approchaient sans se toucher, disaient d'infinis détails de la vie, se surprenaient à partager. Mais la mélancolie persistait, la douleur du presque ensemble.

Marie trouvait peu à peu les mots pour dire cela,

qu'elle ne maîtrisait qu'en partie – elle ignorait tout encore de la fin, la façon dont les spectateurs seraient conviés. Le fil tendu était la métaphore du spectacle. Tous voulaient maîtriser le funambulisme, car le funambulisme était la vie même – une aventure permanente où prendre le risque du bonheur était forcément un vertige. Leurs tâtonnements sur la corde avaient d'abord été plus que réels – un ou deux autres leur tendaient les bras juste en dessous – mais ils devenaient déjà un peu simulés.

– Et les parents ? Vous les avez vus ? Que pensent-ils de tout ça ?

Le café était aussi raté que la première fois. Marie en avala une gorgée amère, mais sa grimace ne venait pas de la boisson.

– Ils sont depuis une semaine à la maison... Très bon contact au début. On a partagé des apéros-saucisson, des dîners d'huîtres et de vin blanc. Ils ne bouleverseront rien chez vous...

André fit un geste évasif qui signifiait « après moi le déluge ».

– Mais nos rapports se sont vite refroidis quand ils ont vu dans quel projet Olivia et Joseph s'étaient lancés. Il y a eu des « intéressant, original, pourquoi pas... » mais vite aussi des questions plus directes à mon égard : « Vous savez quel théâtre pourrait accueillir ce type d'initiative ? Vous devez avoir des connaissances dans le milieu ? » Et devant mes réponses du style « On verra ça après, on a d'abord tout à créer », les regards se sont fermés, il y a eu des mises en garde et des « En tout cas, préparez les concours et passez-les ! » très comminatoires.

André hochait la tête. Un silence s'installa, rompu par le passage d'une infirmière qui vint lui prendre le pouls et la tension.

– Ça n'a pas l'air mal du tout, tout ça ! lança-t-elle avec un enthousiasme de commande.

Les regards d'André et de Marie se croisèrent. Ils n'avaient pas besoin de paroles, trouvaient insupportable cette condescendance dynamique réservée aux vieillards. Marie attendit la fin de cette pause clinique pour reprendre.

– Pendant quelques jours, nos petites répétitions ont été pas mal chamboulées. Il y a eu des livraisons de meubles, des installations de tringles et de rideaux, et tous ont participé. Les parents doivent repartir dans dix jours. Une croisière en voilier jusqu'au Portugal avec des amis.

– Les jeunes restent ?

– Oui, et je crois qu'ils ont hâte de retrouver le vrai travail avec leur irresponsable gourou...

– Vous savez, Marie, reprit André, vous leur faites courir un risque, c'est sûr. Mais quand je vois ce que la société propose à ceux qui lui obéissent... Je me sens si loin de Jean-Baptiste, et ce n'est pas seulement géographique. Avec lui, je me suis laissé contaminer par le confort de l'excellence scolaire. Il réussissait sans difficulté au collège, au lycée, alors j'ai voulu qu'il fasse partie des meilleurs, et je crois que moralement il se sentait quitte vis-à-vis de moi quand il tenait ce contrat. Il a fait une classe prépa, bien sûr. Je sentais bien qu'il se gelait un peu. J'ai vu sans déplaisir qu'il abandonnait la guitare, son groupe de rock. La qualité de son parcours scolaire me semblait garante de son avenir, surtout depuis que sa mère était malade.

Assis sur le lit, les yeux perdus dans le vague, André ne craignait plus d'ennuyer Marie. Dans la lenteur de ces aveux qu'il se faisait à lui-même tous deux sentaient l'imminence de sa fin, une nécessité de dire et de formuler au plus clair.

– Oui, je suis allé avec lui à l'encontre de ma nature, et sans doute de la sienne. Je n'aimais que la musique, le cinéma, la littérature, la peinture. Mais je

119

ELLE MARCHAIT SUR UN FIL

pensais que la réussite universitaire ouvrait tous les choix d'une belle vie... En fait, elle prépare surtout à être broyé par les exigences de ces espèces de sectes que sont devenues les sociétés multinationales... Des voyages, oui, si on peut appeler ainsi le fait de passer sa vie dans des aéroports. Des distances infinies dans un monde rétréci aux limites de l'écran d'un ordinateur. Il me semble parfois que je n'ai fait que l'encourager à passer à côté de lui.

Un petit sourire triste montait aux lèvres de Marie. Comment consoler André ? Elle approuvait tellement cette analyse d'une vie que beaucoup eussent trouvée tout à fait réussie.

– Non, Marie, allez-y. Ils ont avec vous la chance unique de tenter quelque chose de singulier, de vraiment vivant. Ne vous laissez pas entamer par les réticences. Emmenez-les ailleurs.

Seule dans sa voiture sur le trajet du retour vers Le Fahouët, Marie sourit longuement d'un autre sourire. Quelle générosité dans les propos, dans les regards d'André ! Si seul, si proche de sa fin, il faisait en sorte que sa tristesse même soit un encouragement pour elle.

Elle s'arrêta à Ploërquy pour s'accouder à la rambarde de la digue, alluma une cigarette. La nuit venait.

Des enfants emmitouflés dans des peignoirs ou des serviettes remontaient vers la villa Saint-Yves après le dernier bain. Les mouettes prenaient possession de la plage, avançant à pas saccadés entre les châteaux de sable, avec de minuscules coups de tête hiératiques et comme dégoûtés. Elle regarda le soleil descendre, se diluer au dernier moment dans un nuage-brume. Elle essayait de croire au rayon vert. Il lui sembla presque le voir. Elle fuma bien d'autres cigarettes. Les phares s'allumaient dans l'horizon voilé. Oui, il fallait y croire.

Il avait voulu sortir de la cave le vieux canot à moteur. Avec Léa et Sarah, Étienne avait vidé l'embarcation où l'on avait installé au fil des années un salon de jardin rouillé, des piles de magazines, le jeu de croquet inutilisé depuis deux ans.

– Tu te rappelles, Marie, c'est moi qui avais gagné, la dernière fois. Ou bien vous m'aviez laissée gagner.

Marie, appuyée contre le chambranle de la porte, les regardait.

– Non Léa, on ne t'avait pas fait de fleur. Tu étais très bonne au croquet. Surtout pour envoyer bouler tout le monde jusqu'au bas de la pente ! Dis donc, Étienne, tu ne comptes tout de même pas nous noyer tous en mer avec ce rafiot ?

Mais si. Il comptait bien. Peut-être pas les noyer tout de suite, mais les emmener jusqu'au cap.

– Ça aura davantage d'allure, pour un naufrage !

Ils étaient là pour trois jours, et Léa devait rester toute seule une semaine ensuite. Marie avait laissé des consignes à la troupe pour les répétitions. Les abandonner deux journées entières à une période aussi intense de la création du *Fil* défiait les limites de sa patience, mais elle craignait de provoquer Étienne et Sarah en laissant trop paraître la raison qui la faisait vivre.

Il fallait se laisser aller, retrouver l'atmosphère des vacances, même si Pierre n'était plus là. Tenter de se laisser flotter sur une mer quasi étale. Et c'était bon, tous les quatre entassés à la diable dans le petit bateau qui faseyait à peine sur les vaguelettes, Léa dans l'épaule de Marie. Sarah offrait la pâleur de sa peau au soleil étonnamment sûr, dans un maillot deux-pièces vert pois cassé joliment accordé à sa rousseur.

Étienne était aux commandes, et depuis longtemps Marie ne lui avait pas vu un sourire aussi serein. Il dirigeait sa vie, il dirigeait le cours de la balade, et Marie sentait combien cette liberté lui était bonne, combien elle-même avait dû le faire souffrir avec tous

123

les rêves imposés qu'elle lui avait infligés. Dix ans auparavant, elle aurait juré qu'elle ne l'influençait pas, que le désir d'une vie différente venait de lui autant que d'elle. D'ailleurs, quelle pertinence cela avait-il d'appeler la carrière de comédien *une vie différente* ? Étienne et Sarah réussissaient à l'évidence dans leur nouveau métier. Les commandes affluaient. Dans un domaine aussi intime que la décoration intérieure, ils devaient bien savoir instiller une sensibilité personnelle. Au-delà des satisfactions financières, ils y avaient gagné manifestement une intensité amoureuse plus grande – leurs gestes et leurs regards ne trompaient pas. Marie avait vécu longtemps dans la certitude qu'abandonner la scène avait été pour Étienne une longue souffrance, pas encore évanouie. Elle s'était trompée, peut-être.

Léa laissait sa main tremper dans l'eau. Un tout petit bateau, qui servait à la pêche. Souvent, Marie accompagnait Pierre à l'aube, emmitouflée dans des chandails. Dès que le soleil avait gagné assez longtemps la baie, elle n'hésitait pas à plonger dans l'eau encore très froide, nue le plus souvent, et elle gardait de ces moments sensuels un souvenir un peu libertaire, le symbole d'une autre époque – leur jeunesse.

Aujourd'hui, c'était tout autre chose, mais un petit

parfum d'éternité flottait quand même. Au large, quelques chalutiers aux couleurs pimpantes apprivoisaient l'horizon. On se sentait protégé, comme dans ces anciennes images d'école où le monde apparaît infiniment stable – la ferme, une rue en ville, le bord de la mer. Côté terre, le cap de Ploërquy ne se dressait pas comme la citadelle proche de Fréhel. La pierre découvrait sur ses flancs des plages minuscules. Certaines n'étaient accessibles qu'en bateau. Au-dessus, la lande était si britannique, une végétation courte aux tonalités vert pâle et mauve, dégradés d'herbe et de bruyère.

– On pourra pique-niquer là-bas ?

Oui, sans se le dire, ils avaient tous envie de pique-niquer là-bas, sur cette langue de sable infime, entre deux rochers pachydermes.

– On mettra le Coca et la Sanpé à tremper dans la mer pour les rafraîchir. Ils annonçaient vingt degrés dans l'eau au poste de secours, mais ça veut dire dix-huit, comme toujours.

– On n'a pas pris de vin ?

– Non, pas de vin. Ce soir je vous invite à *Climats*. Agnès a un mercurey fastueux cette année, on ne perd rien pour attendre !

Pour la première fois depuis des mois, le regard

d'Étienne ne se posait pas sur Marie avec ces quelques secondes qui interrogeaient l'ombre portée de Pierre. Penser à la mélancolie possible de l'autre. Il n'y a pas de façon plus forte de connaître, d'aimer, mais c'est quelquefois d'un tel poids. Et voilà que dans le miroitement presque immobile des vaguelettes de midi tout s'allégeait. Marie ne regardait pas Étienne et Sarah comme les comédiens qu'ils n'étaient plus. Étienne et Sarah ne voyaient plus Pierre absent dans le sourire de Marie.

Léa virevoltait, heureuse de sentir leur insouciance. Ils mangèrent des tomates olivettes et des cerises, ils nagèrent longtemps, lancèrent des phrases sans importance, firent semblant de s'isoler un peu en lisant, puis se retournèrent et s'offrirent au soleil. On entendait d'autres voix qui ricochaient sur l'eau, d'autres façons voisines de célébrer l'été. Dans leur silence ils se sentaient ensemble. Ne plus bouger. Ne plus rien attendre. Partager. Combien de temps ? Ils n'avaient pas de montre. Les téléphones portables étaient restés à la maison. Ce fut le clapotis de la marée montante qui les caressa bientôt, leur dit qu'il fallait repartir.

– L'année prochaine, je le repeins en rouge pétant, ce canot !

Il y aurait une année prochaine. Cette sensation de perfection facile, aérienne les suivit jusqu'à *Climats*. Étienne et Sarah aimaient bien venir chez Agnès, éprouver le raffinement chaleureux et désinvolte d'un lieu qui semblait l'exacte projection de sa propriétaire – tout ce qui était leur quête, désormais.

– On prend l'apéro ?

Chaque fois, la question de Léa les faisait sourire. Elle l'avait formulée pour la première fois à l'âge de quatre ans avec un vif succès, et cela voulait dire qu'elle devançait la volonté des adultes de passer un bon petit moment ensemble, que c'était une fête pour elle aussi. Elle adorait les petites rondelles de saucisson, le goût particulier du jus de raisin qu'on lui servait alors et signifiait tu as ta place. Le « On prend l'apéro ? » de Léa était devenu le sésame des bonnes soirées de famille ou d'amitié. Ils prirent l'apéro longtemps sur la terrasse, pendant que les lampes basses s'allumaient une à une dans la galerie, faisaient la nuit si douce et bleue.

Dîner dehors, dedans ? Ils avaient emporté des pulls au cas où, mais l'envie de se blottir au creux des poutres, des tableaux, des cercles de lumière ambre orangé fut la plus forte. En familière de la maison, Marie vint en cuisine aider à composer les assiettes

127

de la mer. Le mercurey d'Agnès était un vrai vin du soir, encourageant les rires et promettant un sommeil sans remords. Une de ces journées parfaites, dont le programme semble des plus reproductibles – et en même temps on sait déjà qu'elle sera la seule, on ne sait pas pourquoi.

Agnès était venue les rejoindre à leur table. Sa jeune serveuse s'occupait des derniers clients. Le passage d'Olivia et de Micka vers vingt-trois heures parut dans la note d'une soirée qui ne demandait qu'à accueillir, à prolonger. Une nouvelle bouteille de vin commandée, des échanges faciles. Personne ne s'aperçut d'abord du changement d'attitude d'Étienne. Micka ne put s'empêcher de lui raconter sa rencontre avec *Avant*. L'anecdote de sa réticence à aller voir le spectacle, puis de sa passion inattendue fit sourire. Étienne semblait même assez flatté. Mais Micka insistait, dithyrambique, complètement inconscient de la froideur évasive qu'Étienne lui dispensait en retour. Léa était allée s'allonger sur un sofa pour lire un *Boule & Bill* et s'endormait. Marie, Agnès et Sarah s'étaient engagées dans une conversation parallèle à propos de leurs acteurs préférés.

– Et vous avez vraiment renoncé à l'idée de participer à ce genre d'aventure ? interrogeait Micka, incrédule.

Étienne blêmit, mais se contint. En d'autres circonstances, sa susceptibilité l'aurait poussé à répondre violemment, mais le mercurey l'engourdissait, le poussait à la clémence. Et puis il ne voulait pas agresser les nouveaux voisins de Marie, faire voler en éclats l'harmonie de la journée.

– Il y a d'autres aventures dans la vie !

Micka sentit la nuance d'amertume qui accompagnait ces paroles. Il se sentit lourd, tout à coup. Étienne n'avait pas dû renoncer de gaieté de cœur à sa carrière de comédien. Mais dans l'enthousiasme de ses souvenirs de spectateur, il n'avait pas perçu tout d'abord ce qui lui semblait à présent une évidence.

Ce fut Olivia qui mit définitivement le feu aux poudres en lançant à Marie :

– On a tous tellement envie de vous montrer ce qu'on a fait depuis deux jours ! Je suis si heureuse de mon personnage. Je ne sais plus qui est la vraie Olivia. Celle du *Fil* me semble si proche de ce que j'ai toujours rêvé d'être !

– On répète à quelle heure, demain matin ? interrogea Micka en toute innocence.

La gêne de Marie se lut aussitôt sur son visage.

Se tournant vers Étienne et Sarah, elle prit un ton forcé pour se justifier :

– Oui, je voulais vous en parler. Demain, je ne pourrai pas passer toute la journée avec vous... Mais Léa pourra venir à la répétition. Et vous aussi, si ça vous intéresse...

Cette fois c'en était trop pour Étienne. Cela venait réveiller une blessure si profonde.

– Ne t'excuse pas ! Trois jours avec nous dans l'année, ça semble beaucoup trop en effet ! C'est ce « petit » projet dont tu m'avais parlé à mots couverts ? Tellement petit que tu lui consacres apparemment l'essentiel de tes journées !

Sarah demeurait muette. Agnès tenta de mettre de l'eau sur le feu, mais la colère d'Étienne ne pouvait plus être jugulée.

– Ça ne m'intéresse pas, si tu veux le savoir ! Je préfère aller faire du bateau. On saura s'occuper, ne t'inquiète pas !

Et après une petite pause, il ajouta entre ses dents :

– Ce qui m'inquiète davantage, c'est de te confier Léa une semaine dans ces conditions. Elle va revenir avec la tête encore farcie de chimères !

Et sentant bien qu'il dépassait la mesure, il asséna pourtant :

– Si c'est ainsi, je ne la laisserai plus seule avec toi !

À la table, tout le monde était atterré. La voix de Marie tremblait :

– Tu es injuste, Étienne. Je crois avoir beaucoup fait pour Léa, et avec elle... Et je le ferai encore si l'on m'en donne la liberté !

– Marie, fit doucement Olivia, on pourrait peut-être laisser passer une journée de plus pour les répétitions.

Mais Marie lui posa la main sur le bras.

– Non, Olivia. On répète demain à neuf heures.

Une autre connivence avec Léa. Le mensonge. Oui, c'était du mensonge. Avec un enfant, ça commence souvent comme ça. « On ne le dira pas. » Une omission jésuitique. Mais vite, « on ne le dira pas » devient « on dira autre chose ». On mentira. On ne peut pas faire autrement. D'emblée, c'est Léa elle-même qui avait choisi ce camp-là. Après le départ de ses parents, Marie lui avait dit :

– Je ne peux pas abandonner le spectacle maintenant. Mais on ira à la plage l'après-midi quand même. Si tu veux, le matin, je peux t'inscrire au club de voile. Tu as toujours eu envie... Ou t'emmener au club d'équitation, c'est juste à cinq kilomètres...

Mais Léa avait coupé court :

– Non ce que je veux, c'est ton spectacle, voir ton spectacle. Et puis je peux vous aider…

Ah ça ! elle avait su aider. Jeanne l'avait vite surnommée Régisseur en chef, tant elle devançait les moindres désirs techniques, révélant au passage une intuition presque fantastique de ce que devait être *Le Fil* – comme si *Le Fil* existait déjà.

Mais Marie dut bientôt interrompre ce beau travail. Elle devait revoir Clémence Valadier. Les demandes d'émission s'accumulaient dans sa boîte mails, à presque lui donner la nausée quand elle l'ouvrait très tard le soir – elle ne voulait pas que la pression médiatique donne dès le matin ses couleurs tapageuses à ces jours de la fin du mois d'août si ouverts, si exigeants, si purs. Du coup, elle ramena Léa à Paris. Le trajet ne changeait pas. Non plus l'envie d'échanger des choses importantes en regardant loin devant soi l'abstraction sécurisante de la quatre-voies. Avec Pierre. Avec Étienne. Et maintenant avec Léa. Les mêmes petites haltes pomme, cigarette ou Petit Lu.

– Non, Marie. Je ne le dirai pas. Je ne peux pas leur dire, et c'est leur faute.

– Tu sais, la vie est curieuse, ma Léa. Si l'on

m'avait dit qu'un jour je ne pourrais plus parler de théâtre avec Étienne et Sarah...

Une ombre passa sur le visage de la petite fille.

– Papa s'énerve toujours quand on parle de cirque, ou de spectacle. Parfois, j'essaie de lui faire raconter son métier d'acteur, avant, mais il n'aime pas ça. Souvent, il me dit que c'est un monde injuste, mais il n'y a pas longtemps il s'est mis à crier en disant qu'il était trop nul et qu'il n'avait plus envie d'y penser.

Marie avait craint que *Le Fil* ne vienne compliquer ses relations avec Léa. Mais tout de suite cette dernière avait été envoûtée par l'atmosphère du projet. Et puis il y avait les baignades en fin d'après-midi, les haltes chez Agnès. Léa s'était sentie presque adolescente à leurs côtés. À présent elles rentraient entre amies vers Paris.

– Tu vas retrouver des copains, des copines ?

– Non, maintenant je vais m'ennuyer jusqu'à la rentrée... Et bouquiner, bien sûr...

Les retrouvailles familiales furent assez fraîches, le soir. Marie accepta un apéro dînatoire vite expédié. De part et d'autre, on fit preuve d'une diplomatie matoise pour éviter les sujets qui fâchent. Avec une duplicité consommée, Léa s'étendit sur les petits tours en bateau avec Micka et Olivia, les parties de foot sur la plage, l'abondance des crevettes à marée basse.

Marie se retrouva au bord du canal Saint-Martin dans la lumière orangée déclinante, la poussière en suspension dans le contrejour. Des amoureux, des lecteurs assis en tailleur, beaucoup de tongs et de sandales plates, des bermudas, des caracos, une volonté appuyée de faire de Paris une ville nonchalante de vacances. Des pique-niques presque confortables, avec souvent une nappe à carreaux sur le sol, une bouteille de vin, du saucisson, des salades de pâtes dans des Tupperware. Aux terrasses, moins d'effervescence que pendant l'année, moins de nervosité dans le trafic. Elle rentra à pied jusqu'à la rue Oberkampf, presque étonnée de se retrouver autant chez elle dans l'appartement inchangé.

Le manuscrit du *Monde à portée de main* était resté sur la table basse. Elle se pelotonna dans le vieux fauteuil rouge. Tout de suite, elle fut reprise par l'originalité de ce roman qui n'en était pas un. Elle avait oublié à quel point le symbolisme de cette fable, de ce conte, trouvait un accord singulier avec la manière de dire les choses de la vie. Dans bien des pages, Marie avait l'impression de reconnaître ce qu'elle avait parfois su écrire elle-même, une sensualité dans l'évocation des atmosphères, des odeurs, du toucher. Mais Clémence avait su donner un sens à tout cela, le marier au passage de la vie, créer une forme narrative. Sa singularité était étonnante dans l'expression de la sexualité. À force de lire des romans et des manuscrits où les audaces sexuelles les plus scabreuses donnaient une impression d'obscénité froide, Marie avait fini par penser que le sexe était un mauvais sujet. Faire l'amour, c'était tuer le temps, le nier. Elle en voyait la preuve dans le fait qu'elle n'avait pour sa part aucune mémoire de l'amour physique. Elle avait jalousé d'emblée ce don de Clémence Valadier. Dans *Le Monde à portée de main* il n'y avait ni le sexe dans sa clinicité contemporaine fatigante et dure, ni la fémellité un peu poisseuse de quelques écritures des années quatre-vingt, ni le flamboiement très « fin des années soixante-dix » de certains romanciers érotisants émules de García Márquez. Clémence avait ce pouvoir dans son rapport avec les mots, avec la vie. Quand ses personnages buvaient du vin, mangeaient des fruits, touchaient la texture d'un vêtement, se regardaient dans une glace, on eût dit qu'ils faisaient l'amour. Et dans ses scènes d'amour il y avait du vin, des fruits, dans la chaleur des corps mêlés, les regards échangés, les regards aux miroirs.

Marie dormit très mal cette nuit-là. Vers trois heures du matin, elle se leva pour avaler un somnifère, reprit presque malgré elle le manuscrit, et finit par s'assoupir dans le fauteuil, déjà anxieuse à l'idée de ce rendez-vous du lendemain. Bien sûr, dans ces cas-là, on ne rencontre jamais une œuvre, mais une personne. Et cependant... Quand il y a œuvre, il faut bien en guetter les signes apparents dans les gestes, les paroles, au-delà du jeu social. Marie tenta de quitter l'univers de Clémence Valadier en regardant dans la demi-pénombre ses tableaux comme elle eût compté des moutons. Chez elle... Elle était chez elle, qu'est-ce que ça voulait dire ? Il lui semblait qu'elle n'habitait plus que sur un fil.

Elle avait fixé le rendez-vous à onze heures, au *Progrès*, à l'angle de la rue de Bretagne, pensant que la terrasse amuserait Clémence. Pendant un bon moment elles se plurent à commenter la faune qui les entourait, une jeunesse branchée dont les tics de langage et de comportement avaient de quoi réjouir une provinciale au regard aiguisé. Clémence était arrivée en avance. Elle faisait plutôt jeune, en jean délavé, ballerines, petite veste de lin noir sur un caraco blanc. Le propre des bourgeoises est de savoir faire oublier qu'elles le sont, pensa Marie avec une virulence qui la surprit elle-même – après tout, elle s'y connaissait. Clémence était par ailleurs rien moins que voyante, presque transparente au cœur des conversations, son expresso à la main, cheveux mi-longs, teint pâle. Difficile de ne pas évoquer d'emblée le raz de marée qui s'annonçait. Dans moins de huit jours, *Libération*, *Le Monde* et *Le Figaro* feraient l'ouverture de leur premier cahier de rentrée littéraire avec *Le Monde à portée de main*. Des photographes étaient venus à Limoges, et Marie se rendit compte que Clémence avait du mal à envisager l'ampleur du phénomène. Elle avait trouvé les séances de photo étonnamment longues.

– Et curieusement, très fatigantes. On est là, disponible, on ne fait rien, et en même temps c'est comme si on vous vidait de votre substance !

Vous vider de votre substance. Marie opina d'un air pensif. Le pire était à venir. Pour diluer un peu la raison d'être du rendez-vous, elle interrogea Clémence sur l'écriture. En fait, c'était la première fois que cette dernière tentait de pénétrer le monde de l'édition. Elle avait toujours écrit, de façon sporadique et obstinée, depuis la fin de ses études de lettres, mais sans jamais trouver de forme qui lui convienne, lui permette de rassembler les fragments. Le parallèle entre les deux femmes était criant d'évidence, mais Marie ne voulait pas penser ainsi, plus mortifiée qu'elle ne voulait se l'avouer de n'avoir pas découvert pour sa part cette forme qui faisait du *Monde à portée de main* un livre unique et solide, fragile mais incontournable.

— C'est venu comme ça, après des années où je me sentais impuissante à cristalliser tout ce qui était en moi.

Elle accepta la cigarette que lui tendit Marie, lui sourit en humant la première bouffée.

— Je me rappelle cette sensation, cette certitude, soudain. Tout se mettait en place. J'avais envie d'une forme à moi, et la plupart des romans m'ennuyaient… Et puis j'ai trouvé cette espèce de fable qui réunissait tout. Une structure qui s'imposait. J'avais les éclats de verre, mais tout à coup c'est le kaléidoscope lui-même qui m'était donné. Comme une récompense au bout de la quête, de la solitude.

La solitude, oui, Marie imaginait. Elle avait écrit pour sa part en marge du monde de l'édition, mais en sachant tout de lui, pourquoi les choses se font ou ne sont pas, le diktat des rapports de force, la logique des renvois d'ascenseur, mais aussi le risque beaucoup plus spécieux qu'elle appelait loi de Perrichon.

Dans *Le Voyage de Monsieur Perrichon*, Eugène Labiche évoque un Monsieur Perrichon qui veut marier sa fille. Lors d'un voyage en montagne, l'un des prétendants sauve de la mort celui dont il espère faire son beau-père, tandis que son rival est sauvé par Monsieur Perrichon. Et bien sûr, avec une justesse paradoxale qu'on s'attendrait à trouver dans Proust, et que l'on est surpris de découvrir dans Labiche, Perrichon se prend aussitôt d'affection pour le sauvé, et déteste son sauveur. Une loi valable pour toutes les situations de la vie, mais particulièrement évidente dans l'édition, où le copinage se fait complexe quand il n'empêche pas la susceptibilité, la jalousie. Garder longtemps comme Clémence le rêve éditorial en complète illusion avait dû être douloureux. Par contre, pour elle, tout semblait d'évidence. Dès lors qu'elle avait trouvé comme par miracle l'alchimie de son conte, l'acceptation rapide de son premier manuscrit par plusieurs maisons de renom lui avait semblé normale – elle n'avait eu que l'embarras du choix.

140

L'éloignement de Paris, la lenteur de la création avaient été à la fois une difficulté et une chance. Un gage d'authenticité aussi. Marie craignait que Clémence, prise dans le tourbillon des enthousiasmes germanopratins – elle était bien placée pour savoir combien ils peuvent être versatiles –, réagisse en petite provinciale pas mécontente d'épater son entourage après tant de silence.

– Vous savez, Clémence, la presse écrite, les critiques, c'est bien. Et de toute manière, on ne peut empêcher les journalistes de parler de votre livre...

Clémence écarquilla les yeux pour marquer combien elle trouvait incongru ce dernier commentaire – après tout, c'était bien Marie qui avait su susciter les réactions.

– Mais enfin... Maintenant on en est déjà à la seconde phase. Le buzz sur votre livre est acquis. Alors, tout le monde va vouloir vous connaître. Et ça, c'est terrible.

Clémence ne put s'empêcher de rire.

– Je ne vois pas bien ce que ça peut avoir de tragique !

– Eh bien, tout ! Je vous le garantis. Si on vous entend tout le temps à la radio, si surtout on vous voit trop à la télévision, en quinze jours votre succès n'aura plus rien de littéraire. On connaîtra Clémence Valadier, et le secret du *Monde à portée de main* s'envolera.

– J'ai un peu de mal à vous suivre, Marie. Clémence Valadier n'a par elle-même rien de très fascinant, je vous le concède...

On entendait nettement la vexation dans sa voix.

– Mais, reprit-elle, c'est Clémence Valadier qui a écrit *Le Monde à portée de main*. Et après tout, je suis capable aussi de parler un peu de littérature.

– Ce n'est pas ce qu'on vous demandera. Et ce qu'on vous demandera vous réduira. On vous trouvera sûrement sympathique, la pire des choses qui peut arriver à un écrivain ! Ils vont vous dévorer. Peut-être même ne parviendrez-vous jamais à écrire un deuxième livre.

– Il est presque déjà fait ! Et pour ces émissions que vous craignez tant, j'ai le droit de savoir lesquelles m'ont sollicitée ?

On était loin de la Clémence de leur premier rendez-vous. Elle ne parlait plus à Marie avec la timidité de la débutante invitée à mettre un pied dans le sérail. Au fur et à mesure que la conversation avançait, on sentait l'impatience monter en elle. Après tout, Marie n'était qu'une intermédiaire. Pourquoi ce prêchi-prêcha moralisateur ? Marie sentit glisser sur elle une longue fatigue, et une espèce d'abattement. Elle tapota sur son ordinateur portable, et de guerre lasse se mit à lire l'interminable liste des propositions, sans pouvoir s'empêcher de souligner d'un ton ironique les plus farfelues. Mais elle avait déjà compris. Clémence voudrait tout faire. Une colère froide submergeait Marie.

– Vous pouvez tout faire.

Elle ferma sèchement son ordinateur, se leva, et juste avant de planter là Clémence :

– Vous prendrez contact avec la responsable du service de presse. Vous pouvez tout faire, et vous ferez tout. Mais ça sera sans moi.

Comme elle se sentit libre, les jours qui suivirent ! Déçue certes de voir Clémence refuser de la croire, mais profondément heureuse de ne plus se sentir tournée que vers *Le Fil*. Elle reprit au plus vite la route de la Bretagne, où les estivants commençaient à quitter Le Fahouët et Ploërquy.

– Quand même, lui lança Agnès un soir très tard, après le départ des derniers clients, c'est peut-être le plus gros coup éditorial de ta vie que tu abandonnes à une autre. Sans toi, ce livre n'aurait jamais existé.

– Si, je crois que le bouquin a sa propre force. Il y avait déjà un bouche-à-oreille de représentants, des libraires. Je n'ai fait qu'aiguiller les choses dans ce que je pensais être le bon sens.

Elles marchaient le long du port, dans un silence haché par les vagues giflant le quai.

– Je t'admire, dit Agnès... Mais je te connais assez pour te dire que tu m'effraies un peu. Tu sembles tellement obsédée par ce projet de spectacle. Tu n'en dors plus, tu fumes toujours davantage. Tu laisses des choses qui fonctionnent à merveille...

– Pour d'autres qui ont une chance sur mille de fonctionner ! finit Marie. Je sais, reprit-elle plus doucement. Et je quitte peut-être aussi des gens qui m'aiment pour des chimères et pour des gens que je connais à peine. Je suis sans doute folle. Mais je sens où le feu de la vie me brûle. J'ai tellement envie de brûler. Et tant pis si je quitte un peu les autres. Je n'en pouvais plus d'être quittée.

Beaucoup plus tard, Marie ne dormait toujours pas. À deux heures du matin elle était assise en tailleur sur la moquette, près des baffles immenses. Soutenant la voix de Richard Bona, les percussions tapaient comme les battements d'un cœur à la fois désordonné et pacifié, sourdement résolu. Devant elle, les lumières de la baie brillaient comme des signes indéchiffrables et purs.

Dans l'après-midi, après la répétition – c'était bon de

voir comme ils avaient travaillé, combien ils progressaient en souplesse, en confiance –, elle avait appelé André. Il avait décroché à la première sonnerie. Sa voix semblait traverser un coton épais. Il ne devait plus guère quitter son fauteuil près de la fenêtre, lire un peu, s'assoupir, regarder le rien, le vide, attendre sans attendre. Tout de suite, il avait parlé du *Fil*.

– La semaine prochaine, je vais vous chercher à *La Petite Madeleine* et vous passerez la journée avec nous, vous verrez ce qu'ils font... C'est beau, je crois.

Oui, c'était beau. Mais les parents de Joseph et d'Olivia les avaient mis en garde. Ils devaient s'inscrire à leur cours d'art dramatique et ne surtout pas manquer la rentrée. Et c'était la même chose pour Micka, pour Jeanne et Louise. *Le Fil*. Autour d'eux, on en parlait comme d'une lubie qu'il faudrait supporter sans trop y croire. Elle restait là, sans même continuer à fumer, parfaitement immobile au cœur de la nuit. Est-ce que j'ai le droit de les emmener comme ça ? Je ne sais même pas par quel bout m'y prendre pour trouver un théâtre. Bien sûr je connais des gens, ou je sais comment les approcher, c'est mon métier. Mais au-delà des « C'est formidable ma chérie ! » y aura-t-il des « Mais c'est si difficile en ce moment ! » ?

Devant elle, la mer. Elle éteignit la lampe basse pour un face-à-face avec la nuit d'été. Les lumières de Saint-Brieuc ou de Saint-Quay se confondaient avec les étoiles. Oui, il y avait des lueurs dans son ciel, mais tant de nuit aussi. Est-ce qu'elle allait vraiment vers quelque chose ? Au début, elle en était sûre. Il n'y avait qu'à convaincre les comédiens. Mais d'autres luttes seraient sans doute plus âpres. Et la qualité du spectacle ? À voir ceux qu'elle appelait « les enfants » progresser même en son absence, elle s'était sentie profondément émue. Mais elle s'interrogeait pour la première fois. Leur talent ne faisait pas de doute. Mais savait-elle assez vers quoi elle menait leur talent ? La rupture avec le succès de Clémence l'avait ébranlée. Elle n'y avait d'abord vu que la liberté. Mais son intransigeance n'était-elle pas le signe d'une cassure avec les autres ? On ne peut faire vivre un spectacle sans transiger avec la société. Dans le regard d'Étienne et de Sarah, dans celui des parents de ses comédiens – et même un peu dans celui d'Agnès – elle lisait déjà qu'on la considérait comme trop différente, trop passionnée, trop exclusive. Avait-elle changé ? Elle se sentait très habitée. Mais si seule aussi, devant la nuit d'été. Aurait-elle la force ?

André. André qui n'était plus qu'une silhouette rabougrie, si courbé, appuyé sur sa canne, marchant à petits pas précautionneux. André qui n'avait plus qu'un visage émacié – ma pauvre Marie, je n'ose même pas vous dire combien j'ai perdu de kilos depuis que je suis ici, je n'ai plus aucun appétit. André toujours coquet cependant. Il avait glissé tant bien que mal un foulard noir dans l'échancrure de sa chemise blanche. En le voyant ainsi si frêle et si heureux d'avoir eu à se préparer, Marie éprouva du remords – pourquoi ne l'ai-je pas fait venir plusieurs fois cet été, ça semble être une telle fête !

– Ah ! vous savez, il vous attend ! Depuis deux jours, il ne parle que de ça.

L'infirmière avait dit cela par gentillesse, mais

Marie s'était sentie encore plus mal à l'aise, et davantage encore quand son vieil ami lui confia :

– Quel bonheur de voyager ainsi. On est tout au paysage, on savoure chaque détail ! Dans la vie, j'ai toujours conduit ma voiture. Je découvre que c'est si bon de se laisser faire ! Et puis regarder la vie vraiment comme un spectacle ! Les autres, les gens, cette petite place avec des gosses qui jouent au foot... Pourquoi faut-il ne plus rien attendre pour commencer à tout apprécier ?

Marie lui proposa mollement de déjeuner au restaurant du Casino, à Ploërquy, mais le refus d'André fut catégorique. Pour une fois qu'il sortait, il ne voulait pas se retrouver avec d'autres vieux, une ambiance qu'il connaissait trop bien, des couples qui ne vivaient plus que pour des face-à-face silencieux autour de la seule chose qui les faisait saliver encore. Il en parlait avec une verve assez irrésistible, étonnante dans un corps si faible, et Marie rit de bon cœur. Non, ce qu'il voulait, c'était se fondre dans le décor, voir Marie travailler avec ses jeunes, et disparaître le plus possible à leurs yeux.

Disparaître... Ce n'était guère envisageable. Toute la journée, Marie sentit son regard, chercha son regard. Regard d'André sur cette maison où il avait été heureux, sur ce jardin où les jeunes comédiens répétaient dans la lumière un peu miellée de la fin d'août. Regard sur l'ébauche du spectacle lui-même, et Marie craignait tout, espérait tout de ce regard. Derrière la bonhomie du pique-nique improvisé à midi, il y avait pour elle un enjeu irrationnel mais décisif. Micka et Olivia notamment trouvèrent d'emblée le ton qui convenait pour échanger avec André, sans familiarité ni distance excessives. Mais que pensait-il réellement de tout ce qu'il vit cet après-midi-là ?

Marie se sentit un peu double pendant toute la répétition. Metteur en scène, mais aussi spectatrice. Bien sûr ce n'était encore qu'un squelette de spectacle, sans lumières, sans le mystère d'une salle. Certains passages n'étaient qu'esquissés. Avec *ses* jeunes elle convenait d'une trame, les laissait improviser, puis réécrivait les textes le soir ou dans la nuit. Quand même, l'opposition entre Jeanne et Louise sur laquelle ils travaillèrent beaucoup ce jour-là prenait réellement corps. Leur apparition alternative était saisissante, avec leur absolue ressemblance, leur teint diaphane et leur rousseur semblables qui s'incarnaient dans la sensualité séductrice de Louise, son obsession du désir, et la lenteur contemplative de Jeanne, ses gestes épurés qui traçaient dans l'espace les cercles de l'enfance. La voix de Joseph venait en contrepoint, l'idée d'un lien secret s'imposait lentement, tandis que l'une après l'autre apprivoisait le fil à sa manière. Louise l'enlaçait voluptueusement tandis que Jeanne y marchait, hiératique, en soufflant d'immenses bulles de savon. L'attente et le désir se répondaient sans se croiser encore. C'était un peu miraculeux. Joseph n'avait rien préparé, et ses phrases toutes simples – qui commençaient par Jeanne et commençaient par Louise – installaient d'emblée l'émotion.

Ils s'arrêtèrent. Micka et Olivia donnaient leur avis. L'écoute était belle, la ferveur. Toutes les petites plaisanteries rituelles et nécessaires au sein d'un groupe s'envolaient pour laisser place à une énergie farouche, une gravité qui toucha André. Il dit tout cela sur le trajet du retour. Et puis il parla de ce qu'il avait vu du *Fil*. Marie respirait profondément en conduisant. Une certitude, une chaleur bénéfique la pénétraient. Aux yeux de presque tous André n'était plus qu'un vieil homme épuisé. Mais tout ce qu'il avançait sonnait juste, jusqu'aux petites restrictions qu'il distilla. Elle avait proposé cette journée pour lui faire plaisir, mais elle se rendait compte à présent que c'était elle qui avait besoin de lui. Il clarifiait sa route.

– Merci, André. Ça me fait tellement de bien de

vous entendre. J'ai des moments de doute, ces temps-
ci… Et puis on va aborder un moment un peu difficile. Ils vont tous devoir revenir à Paris, commencer
leurs cours de théâtre, chercher des petits boulots
à temps partiel. Et moi, il faut absolument que je
trouve un lieu. Mes finances ne me permettent pas
de folies. D'autant que, dans l'édition, je ne sais pas
trop comment les choses vont tourner pour moi…
Au fait, ça ne vous ennuie pas trop si je vous prive
du repas du soir à *La Petite Madeleine* ?

Dans les rues piétonnières de Rennes, ils se trouvèrent une petite crêperie, nappes à carreaux, plafond
bas, poutres apparentes. Ils parlèrent longtemps de
tout ce qu'ils aimaient, de Proust et de la vie, de
cinéma et de chansons. Dehors, l'air restait doux, mais
la pluie était venue. Ils la voyaient tomber oblique
par la porte restée ouverte et ils se sentaient encore
mieux. Ce n'était plus vraiment l'été. Un autre pichet
de cidre pression, un îlot d'amitié, à l'abri de la pluie,
à l'abri de l'attente, à l'abri de l'absence d'attente, à
la marge du temps.

« Il faut que je te voie. J'ai quelque chose à te montrer. Je me permettrai de t'appeler dans quelques jours. » La lettre de Pierre ne comportait que ces deux lignes. Un peu étrange d'avoir choisi la lettre pour un message aussi court. Pendant deux jours, Marie se perdit en conjectures. Une lettre de Pierre... L'écriture sur l'enveloppe, son nom écrit par la main de Pierre, l'adresse de cet appartement qui avait été si longtemps le sien. Elle avait eu la sensation d'une distance infinie en découvrant l'enveloppe dans la boîte aux lettres, faussement distraite en échangeant quelques phrases avec le voisin du second qui prenait son courrier. Son nom. Ils ne s'étaient jamais mariés, mais voir ce prénom de Marie suivi de son nom tracés par la main de Pierre à l'encre bleue la détachait curieusement de l'expéditeur, comme s'ils vivaient désormais dans deux galaxies différentes. Ils se situaient dans une évidence de couple que des officialités administratives eussent restreinte, amenuisée – ni l'un ni l'autre ne supportaient les mots d'époux, d'épouse, de mari, de femme dans cette acception possessive et bourgeoise, ma femme, mon époux. Ils se sentaient bien plus unis d'être l'un pour l'autre Pierre et Marie, à l'évidence pour la vie. Et puis la vie avait gommé cette évidence.

Pourquoi une lettre, et pas un SMS ou un e-mail ? Il ne s'agissait que d'un message lapidaire, et Pierre avait choisi de le distiller d'une façon cérémonieuse. « Quelque chose à te montrer. » C'était très factuel, dénué de toute implication affective. En même temps, le tutoiement, le « quelque chose à te montrer » suggéraient l'idée d'une proximité qui semblait incongrue, après tant de silence. Quelque chose à te montrer. Très intrigant. La formule ne recouvrait à l'évidence aucune nécessité administrative. On pouvait lui trouver une connotation presque amicale – juste la familiarité du passé ?

Pendant deux jours, elle pesa chaque mot dans les volutes de ses cigarettes. La fin de l'été à Paris. Tout le monde était rentré. Il faisait beau, comme souvent juste avant la rentrée scolaire – une date qui ne signifiait rien *a priori* pour beaucoup de gens, mais qui restait une ligne de partage : on est toujours vivant quand on se dit c'est la rentrée. Elle buvait son café au coin du boulevard Richard-Lenoir quand le SMS de Pierre tomba : « Demain mercredi, 16 h, à la sortie du métro Rue du Bac, ça te va ? » Oui, ça lui allait. Elle répondit aussi brièvement, sans formule d'affection, ni bien sûr de politesse, ni d'amitié – en se disant que cette absence témoignait d'une extrême gêne à communiquer, quand on a été autant ensemble et que tout d'un coup il faudrait trouver normal qu'il n'y ait plus rien.

Les retrouvailles furent moins intimidantes qu'elle ne l'aurait pensé. Elle avait soigneusement pesé l'absence de soin qu'elle voulait accorder à son apparence. Juste un trait de crayon noir autour des yeux, aucune tentative de coiffure – mais elle savait qu'elle était de mauvaise foi, Pierre avait toujours adoré les cheveux libres et les petites nuances décolorées de quelques mèches, à la fin de l'été. Un jean, un tee-shirt blanc, les nu-pieds à talons qu'elle n'avait pas portés de la saison. Surtout, elle regarda longuement son visage dans le miroir, les mains tirant les joues. Elle réalisa qu'elle ne se regardait plus depuis des semaines,

155

qu'elle avait un air éperdu, les traits creusés. Elle se vit comme les autres la voyaient sans doute, ma pauvre fille, tu as l'air complètement folle.

Pierre l'attendait au coin du boulevard Raspail. Elle le trouva furtivement beau, manches de chemise relevées au-dessus du coude comme elle aimait, silhouette mince, les poches de son jean déformées par trop d'objets – il aimait marcher libre. Mais dès qu'il croisa son regard, Marie ne pensa plus qu'à ce qu'il devait penser d'elle. Ils jouèrent d'emblée sur un mode un peu ironique, alors cette grande nouvelle ? Ils étaient allés souvent ensemble au musée Maillol, dont les expositions ne défrayaient jamais la chronique. Elle se souvenait d'une expo très fournie de Magritte dont elle avait parlé autour d'elle avec enthousiasme sans susciter l'envie – ça ne faisait pas partie de la panoplie. Elle eut un petit coup au cœur en découvrant l'affiche sur la porte d'entrée. Rétrospective Maurice Denis. C'était assez étonnant. Après tout, il y avait un musée consacré à l'artiste chez lui, à Saint-Germain-en-Laye, et sa notoriété ne semblait pas justifier un événement extérieur aussi proche. Pierre afficha une mine gourmande en réponse à son air surpris.

– Il y a plein de choses qu'on n'avait jamais vues.

Et des choses qui nous intéressent particulièrement tous les deux.

Tous les deux, elle se répéta les trois mots intérieurement. Il pouvait dire encore « tous les deux » dans une phrase au présent. Bien sûr, elle devinait maintenant l'origine du message de Pierre. Des dizaines de dessins, d'esquisses, qu'il lui laissait le temps de regarder comme pour distiller une rencontre à venir, dans une autre pièce du musée. Très peu de visiteurs. Le monde symboliste et spirituel du peintre, la sensation de retrait qui se dégageait de tout son univers semblaient tellement aller à l'encontre de la-rentrée-à-Paris. Pourtant, Marie trouvait que la douceur des contours, les tonalités de vert éteint, de marron, d'ambre donnaient le désir d'un automne ouaté, peut-être à côté de la vie, ou au-delà. Depuis quelques minutes ils ne se parlaient plus, et ce n'était pas difficile.

Dans une espèce de brume apaisante, elle se sentit guidée vers cette série d'esquisses, tout au fond de la dernière salle. Deux brouillons au crayon, quatre esquisses. Un petit commentaire indiquait que le projet en était resté là. Au premier plan à droite une jeune femme assise, sans doute un modèle. Le vague de son vêtement dans les tons bruns évoque plutôt un peignoir, ou une simple étoffe enroulée sur son corps, pas la structure d'une robe. Son visage rose pâle, de profil, n'est qu'à peine ébauché. Au fond à gauche, trois silhouettes informulées, mais plutôt féminines, probablement des adolescentes. Oui, le carton que Marie et Pierre avaient chiné un dimanche d'octobre aux Puces de Vanves s'inscrivait dans la série. Au fond d'eux-mêmes, ils avaient toujours eu la certitude que c'était un Maurice Denis. Une attirance commune pour la peinture symboliste, voire quelques aspects du préraphaélisme ou pour la décadence viennoise. Mais aussi une imprégnation plus secrète – une façon de s'approprier ensemble ce qui reste impalpable. En l'occurrence, ils avaient désormais la certitude d'avoir acquis un tableau de maître, ou de grand petit maître, ce qui leur plaisait infiniment davantage. Mais l'enjeu n'était pas la possession – pas une seconde Marie n'imagina que Pierre pourrait lui demander de vendre la toile et de partager les gains. Elle n'envisagea pas même qu'il lui demande de pouvoir l'accrocher chez lui de temps à autre, ce qui pourtant lui aurait plu, obligeant Pierre à réinstaller une part de leur passé commun dans sa nouvelle vie.

Non, ce qui comptait, c'était ce sceau que l'exposition posait sur leur façon d'avoir été ensemble. Ils ne s'étaient pas trompés. Dans le cas de Pierre, la phrase n'était pas sans ambiguïté, et cependant... Sur fond d'ombre profonde, la femme au premier plan lisait, la tête inclinée vers le livre posé sur ses genoux. Les trois jeunes femmes nues s'ébattant en liberté à ses côtés figuraient dans un cadre, sans doute une toile posée sur un chevalet. Était-elle l'une des trois ? C'était séduisant de le penser, d'y voir un contraste et un lien secret entre la joie solaire et le recueillement. Chez Maurice Denis, il y avait souvent cette intention, même si la spiritualité l'emportait, avec comme un regret de douceur sensuelle.

Ils sortirent du musée Maillol un petit sourire aux lèvres.

– On l'avait payé combien ? Tu te rappelles ?

– Je ne sais plus. Trois fois rien. Trente ou quarante euros, je crois.

C'était comme un bon tour joué à la vie, un coup de jeune bousculant les normes du désir – sûrement pas une chose qu'ils iraient raconter partout. En fait, cela les concernait seulement tous les deux. Ils avaient eu raison de croire à ce que d'autres eussent appelé des illusions, ils ne leur en avaient jamais parlé. À l'époque, cela donnait une profondeur un

159

peu mystérieuse à leur complicité. Et voilà qu'ils n'étaient plus ensemble, et la vie avait attendu la séparation pour envoyer ce signe qui ne rimait plus à rien. À rien ? Dans la rumeur retrouvée du boulevard Saint-Germain, dans la lumière de l'été ils marchaient lentement, sans presque se parler. Pierre avait un rendez-vous en début de soirée vers Bastille. Ils allaient dans la même direction, décidèrent après avoir traversé l'île Saint-Louis de s'attabler pour boire un verre de vin dans une flaque de soleil rue Vieille-du-Temple. Le rituel de l'apéro commençait. Ils étaient les plus âgés dans cette humanité. Ils commandèrent un verre de côtes-du-rhône, contents d'avoir trouvé une table libre sur le trottoir, juste avant l'invasion.

Vingt-cinq – quarante ans, c'était l'âge, comme dans une ville où il n'y aurait pas de vieux, pas d'enfants. Ils parlèrent de ceux-là, qui les entouraient. Des autres. C'était beaucoup plus facile de commencer ainsi. Amusant de saisir les bribes de conversation, de commenter les postures. La conversation elle-même était le plus souvent une posture. Des gens dans les médias, la mode, le cinéma, l'événementiel. Une population privilégiée, mais qui signifiait quelque chose dans l'égocentrisme universel, au-delà de sa caste. Presque tous parlaient haut, faussement désinvoltes, maniant la langue avec une recherche ostentatoire, feignant de ne pas prêter attention à leurs voisins. Mais plus que la forme, le propos était saisissant. Des paroles enthousiastes, au sujet de leurs vacances passées, mais surtout de leurs projets professionnels.

– J'ai l'impression d'être dans un dessin de Sempé, dit Pierre. Seulement des jeunes, des beaux, des riches, debout, assis ; et dans les phylactères un enivrement, un étourdissement de pensées positives. Dans un coin, juste un personnage qui dirait à un autre : « Tu sais, moi ça ne va pas fort, en ce moment. » Ça semblerait tellement défendu, tellement incongru, tellement hors jeu.

Marie hocha la tête en souriant.

– Ça pourrait être toi, le personnage ?

Pierre haussa les épaules, marqua un temps de silence.

– Peut-être, ou peut-être pas. Ça me choque en tout cas de vivre dans une société où la mélancolie, la tristesse sont des fautes, qu'on n'avoue pas aux autres, et peut-être même pas à soi-même. Pour le reste… Je crois que je n'attends pas de la vie la même chose que toi. Je ne prétends pas être un sage capable d'arrêter le temps dans ce verre de vin traversé par un rayon de soleil, mais…

– Mais tu as toujours pensé que tu étais plus doué que moi pour ce genre d'arrêt sur image. Et moi, avec mon goût des paradoxes, « ma petite-philosophie-proustienne », je te disais que ce don affiché n'était peut-être que l'envers d'une angoisse en toi.

Pierre fit une moue à peine dubitative, comme s'il refusait moins frontalement ce jugement qu'autrefois – ou comme s'il prenait ses distances avec toute analyse le concernant.

– Qu'est-ce que c'est ce spectacle, Marie ? Il paraît que tu ne vis plus que pour ça ?

– C'est Étienne qui t'en a parlé ?

– Étienne, oui, et puis Léa.

– Alors, je suppose que les deux versions ont dû être sensiblement différentes, fit Marie avec un rire un peu forcé.

– Pas vraiment le même écho, c'est sûr. Léa est comme captivée, émerveillée.

– Je sais que j'ai beaucoup fait souffrir Étienne en l'encourageant à poursuivre ses rêves de théâtre. Je continue pourtant à penser qu'il était fait pour ça. Avec un peu plus de foi, je suis sûre qu'il aurait pu continuer à en faire sa vie.

– De foi ? Tu emploies des termes religieux pour parler du théâtre, maintenant ?

Le sujet Étienne était resté brûlant entre eux. Pierre se rendit compte qu'il venait de passer les bornes. C'est d'une voix maîtrisée, presque tendre qu'il poursuivit :

– Marie. On vient de vivre un moment précieux, aujourd'hui. Après tout, peu importe que notre tableau soit vraiment un Maurice Denis. Ce qui compte, c'est que nous ayons eu des certitudes secrètes ensemble, et ça, le temps ne le changera pas.

Marie, accoudée à la table, le visage penché, appuyé sur ses mains, avait pris un masque de mutisme triste. Et Pierre lui parla de leur histoire, affectueusement, une main parfois posée sur son épaule. Il ne minimisait pas ses torts, mais, malgré la complicité du ton, chacune de ses paroles faisait souffrir Marie.

– C'est vrai que tout s'est un peu cristallisé autour du chemin d'Étienne. Avant, je n'avais pas perçu en toi cette volonté tenace de transformer la vie. Tu sais, tu as beaucoup changé à cette époque-là.

– Beaucoup changé, reprit-elle d'une voix sourde… Je ne sais pas si cela a un sens de dire à quelqu'un qu'il a beaucoup changé. On ne peut pas l'admettre soi-même. Avant, j'avais seulement en moi des choses que tu ne voyais pas, ou que tu ne voulais pas voir…

163

Tiens, l'écriture. Tu me chambrais toujours avec « le grand œuvre »...

– En fait, je crois que ça m'agaçait déjà que tu cherches autre chose, que tu veuilles autre chose. Comme si tu n'étais pas heureuse dans notre vie.

– J'étais heureuse. J'écrivais pour dire que j'étais heureuse.

– Non, ça, je n'y crois pas. On est heureux ou on écrit. Mais on n'écrit pas pour dire : je suis heureux. Peut-être pour dire je l'étais, ou je voudrais l'être.

– Mais c'était tout l'enjeu de mon écriture. Nommer le bonheur quand il passe...

Elle secoua la tête.

– Je n'ai jamais trouvé une forme pour dire ça. Et puis avoue que mes projets d'écriture n'encombraient guère notre vie.

– Ça tenait beaucoup de place dans ta tête, Marie. On ne pouvait pas t'aimer sans le savoir. Mais c'est surtout Étienne qui a révélé tout ce qui te manquait. Bien sûr, il était doué pour le théâtre. Bien sûr, j'étais tellement fier de lui quand il a joué l'Inspecteur dans *Intermezzo*, en sixième. Mais ce que tu as commencé à projeter sur lui dès ce temps-là était un peu effrayant.

– Je ne l'ai jamais obligé à rien ! C'était son rêve.

164

Et s'il en parle autrement aujourd'hui, c'est qu'il est profondément blessé de n'avoir pu aller au bout.

Pierre respira longtemps, finit son verre et posa sa main sur celle de Marie.

— Écoute, Étienne, je le vois tout le temps, en ce moment. Il travaille pour pas mal de clients dont j'ai dessiné l'appartement. Cela ne te fait pas de bien, si je te dis qu'il n'a jamais été aussi épanoui ?

— Pierre, tu es gentil, mais ne me prends pas la main comme si j'étais une malade avec laquelle il faut être doux et patient... É-pa-nou-i ! reprit-elle en détachant les syllabes avec une ironie assez féroce. Je n'aime pas ce mot. Nous ne sommes pas des fleurs. Et puis je vois Étienne, moi aussi. La dernière fois, il était complètement à cran, malade de jalousie dès qu'il a vu comment je m'embarquais dans un projet de spectacle.

— Jaloux, non, tu es injuste. Il est simplement fou d'inquiétude à ton sujet. Quant à la jalousie, je crains que ça ne soit toi qui en souffres. On m'a dit que tu avais coupé les ponts avec cette Clémence Valadier dont on entend parler partout. C'est pourtant toi qui as fait naître le buzz autour de son livre ? Son livre. Est-ce que ce n'est pas aussi le tien, dont tu n'as plus voulu entendre parler ?

– Ça va comme ça, Pierre. C'est pour Maurice Denis que tu as voulu me voir, ou parce que tout le monde commence à penser que je suis folle ?

Elle sentait monter en elle une colère blanche, qui lui faisait horreur. Aux yeux de Pierre, aux yeux de tous elle allait s'isoler, elle s'isolait. Elle se refréna douloureusement, empêchée de donner une vérité que Pierre ne pouvait pas entendre.

– De toute façon, dit-il avec une patience exaspérante, je crois que tu dois vivre cette aventure maintenant. Étienne m'a dit que tu cherchais un lieu. Pour ça, au moins, je peux t'aider.

Cela lui fit mal de voir revenir dans les yeux de Marie un éclat qu'il connaissait bien, qui semblait l'avoir quittée. Il avait fait les plans d'un immeuble élevé au nord du dix-huitième arrondissement. Une sorte d'alibi social dans le cahier des charges de la tour avait exigé que les deux plus hauts étages soient voués à des activités culturelles et artistiques. Le dernier proposait un vaste espace qui pouvait accueillir des spectacles, des expositions.

– Peut-être pas un lieu aussi cosy que ceux que tu aimes, mais libre pour au moins six mois à mon avis, le temps que les structures se mettent en place.

Alors ils se parlèrent autrement, sans s'affronter,

sans s'occuper des autres. Ils en revinrent à Maurice
Denis, à d'autres choses du présent qui les ramenaient
par la bande à leur passé commun, tiens tu as vu,
l'autre jour ils ont repassé *La Vie et rien d'autre*. Tu
aimais tellement la dernière lettre de Noiret, tu la
connaissais par cœur : « Je ne vous attendrai pas
plus de cent ans… »

Oui, ils se souvenaient de tout. Ils picorèrent
presque tendrement des grains épars. Pierre sentait Marie à la fois si proche et si lointaine. Il était
peut-être responsable. Ou pas. L'avait-il trompée
quelquefois parce qu'elle attendait autre chose, ou
attendait-elle autre chose parce qu'il l'avait trompée ?
Ils n'avaient plus envie de vérité. Il n'y avait pas de
vérité. Ils prirent un deuxième côtes-du-rhône et
burent longuement l'heure bleue. Paris était trompeur
et doux, rien ne changeait en apparence.

– Non, je préfère que tu ne me raccompagnes pas.

Et comme elle sentait qu'elle affichait malgré elle
un air triste en disant ces mots-là, elle se reprit,
faussement vive :

– Je peux visiter quand ?

– Bon, je vous laisse, Marie. Demain, six heures à Rungis ! Malgré ce petit boulot si matinal, Joseph était presque toujours le dernier à quitter la répétition. Il aimait cet instant de lisière où plane encore la vie qui vient de s'échanger, vibrante, souple, ou parfois heurtée, maladroite. Tout en haut de cet immeuble vide, de ces douze étages de silence vertigineux, le groupe avait pris ses habitudes, trouvé dans cette coque improbable l'intensité de concentration qui convenait à l'énergie du spectacle. Ici, il n'y avait que *Le Fil*. Joseph aurait bien aimé ranger le décor, fermer les portes, et glisser le dernier contre la nuit dans cet ascenseur vitré ouvert sur l'espace de Paris. Mais il savait que ce privilège était celui de Marie. Chaque soir elle restait là. Combien de temps ?

Longtemps. Un privilège, oui. Une mélancolie profonde aussi, de celles qui font exister fort. Elle inspectait les accessoires, débranchait la poursuite, allait et venait dans l'obscurité du plateau, et quelque chose flottait là. Leur spectacle. Son spectacle. Elle n'essayait pas de garder en tête un élément précis, une scène à reprendre. Cela viendrait plus tard, une inquiétude qui la réveillerait au cœur de son court sommeil. Mais là, elle naviguait dans un océan grave, une lenteur. Presque toujours, elle finissait par faire coulisser le panneau d'une des immenses baies vitrées. Elle sortait sur la terrasse jonchée de tubulures métalliques, allait s'accouder toujours au même coin du garde-corps, vers le périphérique. *Le Fil*. Elle se répétait ce titre si simple où sa vie se résumait tout entière désormais. Comme certains funambules de l'extrême, elle tendait son fil de tour en tour au-dessus des lumières de la ville. Tout au long du périphérique, des néons rouges éclairaient des lettres commerciales qui changeaient de substance. Ce n'était plus de la publicité, mais une incantation pour habiter le ciel, rendre plus fragiles les faisceaux des phares, les destins égrenés qui bougeaient vers eux-mêmes, dessinaient en traces lumineuses l'envie de rattraper le cours, d'aller chercher une paix, un abri, peut-être le bonheur.

Le bonheur. Marie resta songeuse en se demandant pourquoi ce mot lui revenait, assourdi. Elle en aimait toujours la forme, cette sonorité sourde et profonde qui voulait apprivoiser les choses de l'ici. Simplement, il n'était plus en elle, il n'était plus elle. Elle en recevait un écho perturbant avec le triomphe du *Monde à portée de main*. Le livre était dans les vitrines, on lui disait qu'il était même en tête de toutes les listes de best-sellers – mais elle ne regardait plus les listes. Les éditeurs qui travaillaient avec elle avaient reçu de sa part des refus abrupts, comme si elle voulait en finir avec les livres. Elle savait qu'on commençait à chuchoter un peu partout qu'elle était mal, que son comportement avait quelque chose d'incompréhensible – au moment où elle aurait pu triompher, elle tournait le dos à la profession. Il y a toujours de bonnes copines pour vous rapporter le mal qu'on dit de vous.

Le succès du *Monde à portée de main* avait d'abord eu les apparences d'une réussite littéraire. Mais c'était à présent le concept de bonheur qui s'affichait, et les prestations radiophoniques et télévisuelles de Clémence Valadier ne remettaient guère en cause cette recherche. Le monde avait envie du bonheur, en avait besoin sans doute. Au-delà d'une certaine mauvaise foi, Marie était écœurée par cette banalisation commerciale. Depuis des mois, des magazines de psychologie, de philosophie se créaient autour de ce concept naguère si peu *tendance*. Des psys en tout genre en devenaient les gourous, intervenaient à la radio avec une sérénité de mauvais aloi, un ton mielleux, apparaissaient à la télévision, sourire imperturbable, revendiquaient une sagesse définitive. Elle se disait que c'était bien fait pour Clémence, qui avait accepté d'entrer dans ce jeu-là. En même temps, elle la plaignait ; son livre valait mieux que cela. Il y avait d'abord l'écriture, mais qui parlait encore de style ? Seul comptait le sujet des romans.

Marie fumait de plus en plus, roulant ses cigarettes désormais pour se donner l'impression de maîtriser un rituel. Une femme de cinquante-cinq ans, au sommet d'un building désert, léchant le bord de sa cigarette dans la nuit fraîche. La rumeur montait jusque-là, la rumeur de la ville et de la banlieue, la rumeur de tant de vies qui n'avaient rien choisi. Et elle ? Maîtrisait-elle son sujet, son destin ? Elle faisait le vide autour d'elle, et voyait bien que Pierre n'était pas le seul à penser qu'elle avait changé. Mais dans le petit groupe de ses comédiens, le nom de *Marie* sonnait différemment, éveillait des espoirs, une lumière dans les yeux, un éclair de confiance. Vivait-elle pour eux, avec eux ? Elle n'était pas dupe de son rôle à leurs yeux. À travers elle, ils croyaient surtout à leur chance. Déjà la fin d'octobre, et tous avaient intégré un cours de théâtre, trouvé un travail alimentaire qui leur laissait la soirée libre. Olivia s'était inscrite en licence de lettres à la Sorbonne, mais parlait déjà de renoncer. Bien sûr, leur implication dans le projet du *Fil* continuait à faire grincer des dents chez eux, mais elle donnait à leur jeunesse une identité libertaire qui la rendait plus belle. Ils étaient fiers de leur choix.

Marie savait bien que là aussi, elle marchait sur un fil. L'expérience d'Étienne et de Sarah lui avait permis de prédire ce que tous allaient trouver dans l'univers des théâtreux. Ils avaient témoigné de leurs premiers cours avec un amusement admiratif : ainsi, Marie avait tout deviné ! Le despotisme plus ou moins éclairé des professeurs, cette façon de jouer au yoyo avec les espoirs d'une jeunesse soumise à leur bon vouloir, à leur supposé pouvoir... Mais tous garderaient-ils cette confiance longtemps ? Elle songeait aux enthousiasmes de Micka, à la fragilité de Jeanne et de Louise, supposant Olivia et Joseph plus solides. Quand il y aurait un vrai appel, des propositions tentantes, la petite cellule garderait-elle cette cristallisation magique que chaque répétition du *Fil* renouvelait ?

Car oui, depuis trois mois quelque chose s'ébauchait vraiment, bien au-delà de ce que Marie avait espéré. Au début, elle avait eu le sentiment de mener l'aventure, mais à présent elle se sentait aussi spectatrice, souvent émerveillée, avait parfois du mal à se montrer assez directive, tant *Le Fil* semblait imposer son propre pouvoir, une logique sensible et féerique. Ceux qui ne jouaient pas restaient assis en tailleur près des autres, et l'énergie restait commune, comme dans un pacte. Qu'en serait-il si, au moment de proposer le spectacle au regard des autres, ils rencontraient l'indifférence ?

Elle se posait la question sans se la poser, tentait de se noyer dans les lumières de la ville, la fumée de ses cigarettes, la volupté de s'accouder à la rambarde de l'immeuble solitaire, après tant de tension nourrissante. Olivia, Micka, Joseph, Jeanne et Louise se livraient à des performances éprouvantes, et Marie, après tout, se contentait d'infléchir et de conseiller. Mais elle ressentait au plus profond de son corps la fatigue de tous leurs gestes, et demeurait dans une lassitude étourdissante et bonne, un peu comme après l'amour – elle qui ne le faisait plus jamais.

Elle regardait en contrebas, sentait ses jambes flancher dans la sensation de vertige. Quelques réverbères déjà installés éclairaient un espace encore en chantier, des bétonneuses, des tas de sable et de gravier, des pelleteuses. Un vertige et un chantier. Elle sourit en pensant que c'était la parfaite métaphore de sa vie nouvelle. Des pensées contradictoires se bousculaient. Sans *Le Fil*, je serais tombée. Mais sans *Le Fil* je ne saurais même pas ce que c'est que tomber. Je pourrais parader en me félicitant du succès du *Monde à portée de main* tout le jour, et pleurer la nuit en songeant que Clémence me volait mes rêves. D'ailleurs, je ne suis plus sûre que le monde soit à portée de main. Il est au moins là-bas, aussi loin que les lettres rouges Toshiba. Et je ne suis pas sûre d'avoir trouvé le balancier pour aller jusque-là.

Longtemps, elle avait vitupéré les piétons et les cyclistes à écouteurs, étonnée qu'il n'y ait pas davantage d'accidents avec tous ces gens qui étaient là sans être là, dodelinant de la tête ou souriant au monde musical qu'ils avaient choisi pour habiter l'espace. Elle y voyait un refus des autres. Bien sûr, les phrases échangées avec des inconnus étaient rares, mais elles pouvaient tout de même advenir, et gommer leur possible surrection était à ses yeux comme une faute contre Paris, contre la rumeur de Paris, contre l'humanité virtuelle de Paris. À présent elle se moquait de tous ces principes, dont elle reconnaissait la justesse mais qui ne la concernaient plus... De toute façon elle était seule, alors autant être seule avec soi. En septembre, elle avait acheté un iPod, et dans tous ses trajets à pied vers le dix-huitième – ah oui, marcher longtemps dans Paris était encore un luxe et un plaisir –, elle écoutait tout ce qu'elle préférait, les coups de cœur partagés avec André, et puis surtout, *ad libitum*, les musiques de films de Georges Delerue, celles pour Truffaut, pour de Broca, pour tant d'autres, les plus gaies, les plus tristes, tout ce qui pouvait donner musique au film de sa vie. Dans l'appartement, elle n'allumait jamais la télévision, qui l'avait toujours rendue plus seule encore. Mais elle pensait à présent la même chose de la radio, et se surprenait à se couper des bruits du monde avec ses écouteurs à toute heure du jour, sauf quand elle travaillait mentalement à l'avancement du *Fil*, c'est-à-dire souvent.

Et puis il y avait Léa. Cette année, c'en était fini des mercredis sacrés – dans l'édition on le savait : « Non, Marie, aucune chance de la contacter aujourd'hui, c'est le jour de Léa. » Désormais, à Paris, les élèves avaient classe le mercredi matin. Léa, presque dix ans, entrait au CM2. De concert, Étienne et Sarah avaient profité de son goût pour le dessin et lui avaient proposé un cours à dix-sept heures, soulagés de court-circuiter son envie de faire du théâtre. De toute façon, Léa ne souhaitait pas enfiler les activités les unes après les autres, comme la plupart de ses copines. Et puis elle voulait garder des heures avec Marie, le déjeuner – pas question d'aller à la cantine – et le début d'après-midi. Marie avait accepté sans mauvaise grâce apparente de l'accompagner au dessin.

C'était donc différent. Un échange plus ramassé dans le temps, peut-être plus précieux encore. Quand elle allait la chercher à la fin du cours, Marie aimait la regarder d'un peu loin par les verrières du couloir. Cette concentration, cette expression poétique – Marie ne trouvait pas d'autre mot – qui habitait le visage de Léa quand elle se concentrait comme là, penchée sur la grande feuille blanche inclinée, la natte de ses cheveux noirs tombant le long du cou gracile. Une fragilité qui n'était plus tout à fait celle d'une petite fille.

À midi, Léa aimait parler avec Marie, debout dans la minuscule cuisine de la rue Oberkampf, en l'aidant à préparer le repas. Mais elle adorait aussi que Marie l'invite dans un petit restaurant du quartier, *La Gondola*, où l'on mangeait des pâtes fraîches, ou *Le Clown bar*, tout près du Cirque d'Hiver. Marie la faisait parler de l'école, de ses nouvelles copines – puisque tu aimes beaucoup Julia, on peut l'inviter un mercredi

177

avec nous. Mais non, Léa repoussait l'idée comme
une incongruité – surtout, ne pas bouleverser l'atmosphère de cette complicité si particulière, de cette
amitié avec sa grand-mère. Ni Léa ni Marie n'étaient
des bavardes, mais ensemble elles pouvaient parler à
l'infini, avec de longs silences qui n'étaient d'aucune
gêne. Septembre, octobre avaient été si beaux. Elles
déambulaient jusqu'à la place des Vosges, à la petite
roseraie des Arquebusiers, au square du Temple.
Novembre leur avait offert des expos de photos dans
le quartier, ou à Beaubourg, et vers seize heures une
petite folie : une part de tarte au citron meringuée
au *Loir dans la théière* – la meringue était un étonnant iceberg de douceur crémeuse. Léa voulait tout
savoir sur *Le Fil*. Elle se sentait si frustrée de n'être
plus le petit fétiche des coulisses que toute la troupe
avait élu. Jusqu'à ce jour de fin novembre, au *Loir*,
où Marie lui avait confié :

– En fait, cela pourrait avancer encore plus vite,
et je crois que tout le monde en a envie – même si
je sens Jeanne et Louise un peu moins investies ces
derniers temps. Mais il y a une opportunité.

Le regard de Léa l'interrogeait.

– En fait, depuis qu'Olivia a arrêté ses cours à
la fac, ils pourraient tous être libres le mercredi

vers quinze heures, quinze heures trente, mais je ne veux pas mordre sur le peu d'heures qu'il nous reste ensemble. Je crois que je vais les laisser commencer à répéter seuls. Après tout, ils l'ont déjà fait...

La réplique de Léa fusa, implorante :

– Oh Marie, je t'en supplie, j'aimerais tellement voir un petit bout de la répétition !

Marie hésitait.

– À la rigueur, je pourrais commencer avec eux, puis aller te conduire à ton cours de dessin. Je les retrouverais vers dix-neuf heures, une fois que je t'aurais raccompagnée. Ils sont libres toute la soirée.

– Tous ces allers-retours, c'est absurde, Marie !

Et soudain, presque impérieuse :

– Écoute, mon cours de dessin, j'aime bien, mais ce n'est pas ma vie. Si tu me ramenais seulement vers dix-huit heures trente, je pourrais rester avec vous trois heures... Le paradis !

– Impossible, Léa, tu le sais bien ! Étienne et Sarah ne voudront jamais. Te faire manquer le dessin pour venir participer à ce projet qu'ils détestent !

– Eh bien, on ne leur dira pas, voilà !

L'effarement de Marie fut d'abord absolu. Elles restèrent face à face longtemps. Marie secouait la tête en signe de dénégation. Mais Léa semblait la plus ferme. Elle attendit une infime fêlure dans la carapace.

– Cette idée de leur mentir...

– On l'a déjà fait, Marie.

– Mais là, les tromper comme ça, c'est tellement énorme ! Je n'oserai plus me regarder dans une glace... Et puis ce sera tellement risqué. Ils voudront voir tes dessins...

– On les fera ensemble au début de l'après-midi. J'aime tellement faire mes devoirs avec toi ! ajouta-t-elle avec un petit air canaille.

– Je crois que tu perds la tête, Léa.

Mais Léa sentait bien que Marie voulait perdre la tête avec elle.

– Et si Étienne ou Sarah croisent ta prof de dessin dans la rue ? Si un jour ils viennent t'attendre par surprise à la sortie du cours...

– Eh bien, j'ai envie de ce risque-là aussi.

Elle prit Marie dans ses bras, la serra à l'étouffer. La tarte au citron meringuée n'avait jamais semblé si bonne.

Le retour de Léa dans les coulisses du *Fil* fut salué par tous. Elle était fière de se voir confier d'innombrables tâches matérielles justifiant l'appellation affectueuse de *régisseur en chef*. Ils étaient fiers de fasciner une petite fille au point de la rendre rebelle et clandestine.

La présence de Léa décrispa par ailleurs Marie – au moins le mercredi. Le spectacle progressait chaque semaine, de plus en plus singulier. La féerie artistique n'était jamais gratuite, enrichissait chaque fois un peu plus le symbolisme fragile, d'une profondeur infiniment légère. Marie se souvenait d'avoir entendu Fanny Ardant dire à propos du film de Truffaut *Vivement dimanche* : « Et puis c'est une chose qui reste comme ça, jetée par-dessus l'épaule... » Elle aimait cette idée qu'une mécanique impitoyablement réglée puisse donner l'apparence d'une chose jetée par-dessus l'épaule. *Le Fil* allait vers ça.

Mais l'inquiétude progressait aussi. Il faudrait pouvoir montrer le projet à des responsables de salle. Les affiches théâtrales n'autorisaient guère un enthousiasme débordant. Impossible d'aborder le théâtre conventionné avec un projet tout constitué, des acteurs déjà sélectionnés. Quant au privé, il y avait des coteries médiocres mais rentables. Même s'il s'agissait d'un univers très différent de l'édition, Marie se faisait fort de savoir jouer les attachées de presse. Encore faudrait-il trouver une jauge de salle satisfaisante, pas trop grande pour ne pas risquer le désert, pas trop petite non plus, afin d'être en mesure de recueillir les fruits d'un bouche-à-oreille espéré. Quant à produire elle-même, il ne fallait pas y songer. Elle avait caressé un moment l'idée de vendre la maison du Fahouët, avec l'accord de Pierre, mais Étienne ne le supporterait pas – au-delà même de la conservation de cette maison qu'il aimait, l'idée de tout mettre en jeu, de tout engloutir, de se détacher du monde pour un rêve improbable qui le faisait souffrir... Non, il faudrait trouver un directeur de salle prêt à prendre un risque – et cette difficulté la minait.

Un autre obstacle, infime, informulé, faisait ses nuits presque tout à fait blanches. Depuis près d'un mois, le comportement de Jeanne et de Louise s'était imperceptiblement transformé. Il ne s'agissait pas de leur prestation dans la pièce. Au contraire, leur opposition manichéenne de départ entre l'esprit d'enfance et la volupté obsédante s'infléchissait, se nuançait de gestes et de mots d'une subtilité qui devenait la révélation la plus flagrante du spectacle : une réponse au passage du temps. Marie était fière de ça. Presque toujours, le théâtre mettait en scène une opposition entre deux personnages, Antigone et Créon, Alceste et Philinte, l'obligation de dire oui ou non au monde. Mais avec Jeanne et Louise, le processus s'était inversé. Jumelles en apparence, et si complètement opposées au début du spectacle, elles finissaient par trouver une gémellité nouvelle qui changeait la vie. Et elles étaient si belles, dans leur rousseur diaphane, quand elles passaient de l'ombre à la lumière, que l'on aimait en elles tout le jour, toute la nuit rassemblés.

Non, le souci venait de l'extérieur, de leur rapport avec Antoine Icart, leur professeur d'art dramatique.

Il y avait d'abord eu des petites phrases entendues çà et là, et surtout le ton sur lequel ces petites phrases étaient dites, révélant, plus qu'un respect, une vénération pour le nouveau maître. Bien sûr, Marie était un peu chatouilleuse sur ce point, soucieuse de préserver son pouvoir. Elle jouait une partition difficile. Il lui fallait revendiquer une absence de jalousie totale, pour ne pas se décrédibiliser aux yeux des acteurs de la petite troupe. Elle les avait mis en garde contre ce qu'elle appelait des pièges, et désormais elle avait sous un faux air détaché l'oreille aux aguets, attentive à ce que chacun d'eux révélait de son attachement aux techniques, aux comportements prônés dans le cours du professeur. Elle devait prendre appui sur cela, montrer que tout travaillait de concert, profitait à l'énergie du *Fil*. Bien souvent, elle mettait en sourdine ses réticences, sachant que tout début de dissension lui serait préjudiciable. Avec Micka, Olivia et Joseph, pas de problème manifeste pour l'instant. En revanche, le mot « Antoine » revenait dans la bouche de Jeanne et de Louise avec des connotations feutrées mais encombrantes. Antoine dirait que, Antoine trouverait que… Louise jouait ce jeu tout en reprochant parfois à Jeanne d'en abuser, comme si elle craignait d'éprouver elle-même la fascination de sa sœur.

Marie avait pris des renseignements sur les professeurs de ses jeunes compagnons. Dans le milieu, Antoine Icart bénéficiait d'une réputation inégale. Tout le monde s'accordait à lui trouver une réelle originalité pédagogique. Approchant de la cinquantaine, il exerçait sur ses élèves féminines un charisme que certains trouvaient abusif, passant de la cruauté condescendante à la séduction. Par ailleurs, on lui prêtait des relations privilégiées avec des metteurs en scène à la mode, et un réel pouvoir pour lancer une carrière. En découvrant son profil, Marie avait tout de suite éprouvé des craintes. Elle imaginait trop l'émoi provoqué par les jumelles préraphaélites, le jeu sensuel qui pouvait tenter un homme à femmes faussement blasé. Pourquoi, depuis une semaine, était-ce devenu une certitude ? Jeanne était amoureuse d'Antoine Icart. Marie observait sa comédienne à la dérobée, trouvait que quelque chose avait changé. Un quant-à-soi, une façon d'être ailleurs en étant là. Et puis, soudain, les phrases de Jeanne au sujet d'Antoine avaient cessé. Cette discrétion nouvelle cachait quelque chose. Une liaison ? Peut-être. Marie n'aimait guère ce mot. On savait qu'Antoine Icart couchait volontiers avec ses élèves les plus ferventes. Mais avec Jeanne, Marie craignait que cela ne soit

185

plus sérieux. Il y avait en elle ce côté farouche, irréductible qui peut mener à la passion.

Entre deux scènes du *Fil*, Marie et ses comédiens parlaient de mille choses, de cinéma et de lecture notamment. Marie avait fait un jour l'éloge de *Belle du seigneur*, un livre qu'il était selon elle impossible de n'avoir pas lu. Le lendemain, elle avait l'édition de poche dans son sac et l'avait proposée à Jeanne – tu le passeras aux autres après. Marie se souvenait avec délectation des passages où Albert Cohen, après avoir exalté l'idée de la passion amoureuse, montrait comment elle peut devenir ennuyeuse, ou ridicule – à bon entendeur, salut !

Et puis il y avait Louise. Louise qui subissait les diktats du même Antoine. Était-elle amoureuse, elle aussi ? Envieuse en tout cas de sa sœur, si celle-ci avait les préférences du maître. Jalouse, et malheureuse de cette dépossession – elles étaient tellement fusionnelles ! Marie ne pouvait s'empêcher de penser que le professeur cherchait à séduire l'une et l'autre, titillé par ce défi délicieusement pervers. Dans quelle mesure était-il parvenu à ses fins ? Elle ne pouvait le savoir – à l'évidence, Jeanne et Louise n'avaient rien dit aux autres, et l'idée que cette relation supposée restât au cœur de leur intimité n'avait rien de rassurant.

Pour l'équilibre du spectacle, la seule chose que Marie pouvait faire – elle ne s'en privait guère – était de rappeler sans cesse que tous ses acteurs étaient inéluctablement imbriqués dans une mosaïque aux éléments indissociables, que chacun portait la responsabilité du tout. Elle ne pouvait conjurer les menaces, mais en donnant tout son être au *Fil*, elle voulait rester la plus forte. Elle ne vivait plus que par Joseph et Olivia, Micka, Jeanne et Louise. Par eux et avec eux. Mais elle ne les possédait pas.

Pourquoi Étienne avait-il tant tenu à l'accompagner ? Quand elle avait téléphoné pour annoncer la
mort d'André, c'était surtout pour dire qu'elle ne
pourrait pas s'occuper de Léa le mercredi. La réaction de son fils l'avait surprise. Bien sûr, il avait eu à
l'adolescence une relation étonnante, presque amicale
avec leur vieux voisin. Ils allaient quelquefois pêcher
ensemble, et ni Pierre ni Marie n'imaginaient quelles
pouvaient être leurs conversations – il devait surtout
y avoir entre eux des silences complices, un même
goût pour se taire ensemble et regarder.

– Non non, je peux me libérer. Et je t'emmène. Je
ne veux pas que tu fasses ce trajet seule en voiture.

C'était peut-être ça, la vraie raison. Il avait peur
pour elle. Peur de sa nervosité, de sa fatigue, de sa

distraction. Et puis envie sans doute de se rapprocher
– ces derniers temps, cela devenait compliqué entre
eux, une égalité d'humeur réciproque qui cachait
mal les non-dits.

Depuis la rentrée, Marie avait téléphoné plusieurs
fois à André – lui n'appelait pas, ne s'imposait pas,
ne s'était jamais imposé. Quand même, ce sentiment de l'avoir laissé tomber, que rien ne justifiait
en apparence. Laissé tomber, car on laisse toujours
tomber ceux qui viennent enliser leurs derniers jours
aux mouroirs de l'attente, et surtout ceux qui disent
ça ira très bien, les gens sont charmants ici, je suis
comme un roi. Elle retrouvait le même remords qu'à
la mort de sa mère – elle n'aimait pas le mot *dispari-
tion*. Qui peut prétendre avoir aimé assez ceux qu'il a
choisi d'aimer ? Car ils s'étaient choisis, avec André.
Une belle amitié d'âmes mitoyennes, qui passaient
la clôture pour se rencontrer. André ne ressemblait
pas aux hommes qu'elle côtoyait dans son travail et
ailleurs. Il ne parlait pas de ses pouvoirs anciens, de
ses connaissances prestigieuses. Il était allé jusqu'au
bout du chemin sans jamais commencer une phrase
par « Il faut ». Un sage ? Non, plutôt un solitaire,
blessé mais n'en montrant rien, et gardant intact un

pouvoir de bonheur quand il faisait une rencontre, un disque ou un livre, un regard différent.

Marie se disait souvent qu'elle aimerait vieillir ainsi – mais surtout pas jusqu'au bout du bout, surtout pas jusqu'à *La Petite Madeleine*. En fait, elle sentait désormais que ce désir était purement virtuel. André lui avait prêté les chroniques de fin de vie de Giono, si différentes de ses romans. L'auteur de *Regain* y disait comme la vieillesse est délectable, quand on ne vous autorise plus qu'un cigarillo par jour, et que cette contrainte, au lieu de rétrécir la vie, lui rend une intensité disparue, proche de l'enfance. Les textes presque euphoriques de Giono sur la vieillesse étaient séduisants, mais elle avait changé de camp. Au début de l'été, elle éprouvait encore l'amitié du monde, malgré l'absence de Pierre et la mélancolie – d'une certaine façon la mélancolie n'était pas si redoutable, elle permettait elle aussi de renouer avec les choses du passé, plutôt du côté de l'adolescence. Mais là, quelque chose s'était brisé. Le succès du livre de Clémence Valadier ? Non, elle ne se sentait pas spoliée à ce point : ne pas transformer les sensations en littérature n'empêchait pas de les vivre. Alors quoi ? Peut-être, oui, la place que *Le Fil* avait prise dans sa vie. Ce n'était pas une place raisonnable. Elle ne pouvait l'intégrer au reste, et tenter de trouver un équilibre. En fait, ce projet remplaçait tout, rendait le reste dérisoire. Ce sentiment d'éloignement, cette inquiétude dans le regard des autres, c'était peut-être une forme de jalousie – ils voyaient trop qu'elle vivait une expérience extraordinaire.

Étienne conduisait vite et bien. Ils seraient à Rennes dans trois heures à peine. Elle aimait se laisser emporter dans la maison qui bouge, voir s'allumer les pôles de lumière faussement froids sur le tableau de bord. Il se tourna vers elle.

– Tu souris ?

Elle ne pouvait lui dire ce qui la faisait sourire. L'idée que, en dehors de la troupe et de Léa, André était le seul à croire vraiment au spectacle, et que cette confiance flottait, plus sûre encore et plus réconfortante au-delà de la mort.

Elle ne mentit pas vraiment en répondant qu'elle pensait à André. Ils parlèrent d'André lentement, tour à tour, des souvenirs avec André qui les ramenaient à un temps où tout était tellement plus proche, entre Étienne et Marie. Il s'arrêta pour prendre de l'essence, et Marie l'accompagna dans la cafétéria. Les lampes au néon, le distributeur automatique de boissons. Café long, café court. Cette complicité d'échanger des phrases redevenues faciles au cœur d'un univers aseptisé, mais pas hostile. Juste fait pour qu'on se sente exister. Je prends une boîte de gaufrettes framboise pour la fin de la route ?

La nuit était complètement tombée. Dehors, une averse les obligea à courir. En rentrant dans la voiture, et sans le regarder, Marie posa un instant la main sur le bras d'Étienne. Il mit en route les essuie-glaces. Pendant un long moment, ils furent bien sans rien se dire. Ils n'avaient pas sommeil.

Marie savait. Ça serait un peu comme pour sa mère. Une cérémonie précipitée, qui prenait tout le monde de court – même si elle était si prévisible. Jean-Baptiste était venu de Hong Kong en toute hâte, et, après deux jours à l'hôtel, avait accepté l'hospitalité de Marie. Épuisé par le chagrin et le décalage horaire, il accueillait toutes les propositions avec une hébétude un peu contrite. Sa compagne Shansin n'était pas là. André l'avait croisée deux fois. Elle était japonaise, et il parlait très mal l'anglais. Les enfants étaient à l'école, bien sûr, elle ne voulait pas les quitter pour un si long voyage. Marie avait connu Jean-Baptiste tout jeune homme, quand ils venaient d'acheter la maison. Étonnamment, il avait gardé la même coiffure, une boule de cheveux bruns et longs qui lui gardait un air très baba cool, en dépit de ses fonctions.

Il y eut quand même des gens à l'église – la bienveillance souriante d'André était connue à Ploërquy, même s'il n'avait plus d'amis de son âge. Jean-Baptiste avait répété à tous la seule certitude qu'il possédait au sujet de son père : André voulait être incinéré, et que ses cendres soient dispersées dans la mer, au bout de la petite pointe, juste après la maison. Avant la cruelle lenteur de l'incinération, Marie avait obtenu qu'on fasse écouter à l'assistance *Barbara Allen*, la chanson anglaise interprétée par Alfred Deller qui donnait à André la chair de poule. Une mélodie si pure, une histoire de solitude, d'amour et d'incommunicabilité. Et puis ce passage de *La Recherche*, lu par André Dussolier, qu'André écoutait en boucle dans sa chambre, ces derniers temps – l'infirmière de *La Petite Madeleine* l'avait confirmé. Le passage sur la mort de la grand-mère du narrateur. D'abord, les lignes sur la voix de la grand-mère au téléphone, tout à coup révélatrice de son état désespéré, qu'elle cachait si bien à ses proches dans la comédie de la vie. Et puis son malaise, l'angoisse du narrateur et le médecin indifférent, obsédé par le ruban rouge à mettre sur son habit pour sortir. Et tout à coup ces mots : « Chaque personne est bien seule. »

Qui d'autre que Marie savait cela ? *Barbara Allen* et ce « chaque personne est bien seule » étaient les deux choses au monde qui bouleversaient le plus André. Une chanson et une phrase terriblement mélancoliques, mais André disait en souriant :

– Les choses les plus belles sont toujours tristes, mais quand ce sont les artistes qui les disent, cela nous rend heureux. Cette tristesse n'est plus absurde : elle est belle. La beauté a un sens.

Le soir, Agnès proposa de réunir tout le monde à *Climats* – juste une dînette pour être ensemble sur la table ronde, la galerie sera fermée. Tout le monde... Marie, Jean-Baptiste, Étienne, Agnès elle-même, et sa fille Julie qui était revenue passer quelques jours à la maison, et aidait en cuisine.

Comme souvent dans ces cas-là, la soirée ne fut pas triste. Juste profonde. On se retrouve. On a l'impression que c'est si facile de se rassembler. Jean-Baptiste était heureux de parler d'André. Le mercurey d'Agnès n'était pas nécessaire, mais il participait à la chaleur.

– Je vous entends tous parler de mon père comme d'un vieux philosophe qui aurait trouvé définitivement la clé de l'existence...

Les phrases de Jean-Baptiste venaient, douces et lentes. Chacun sentait qu'il fallait le laisser s'épancher, qu'il n'aurait sans doute plus d'autre occasion de tirer les choses au clair, de tenter de dissiper des gênes, des réticences, des remords qui se défendaient d'en être.

– En fait, il était surtout très amoureux, je crois. La maladie puis le décès de ma mère ont été le grand malheur de sa vie, une première mort. Après, il est forcément devenu sage, puisqu'il avait tout perdu.

Il proposa la bouteille à Étienne, qui accepta par amitié, comme pour l'encourager à aller plus loin. Jean-Baptiste se servit à son tour, but une longue lampée.

– Avec moi, au moment des choix de vie, ce fut une autre affaire. Les pères ne sont pas des sages. Ils font ce qu'ils croient être exigé par la société, et c'est souvent une sorte de défaite. Si ma mère avait été là, peut-être aurait-il eu la force de me proposer ce qu'il pensait conforme à ma personnalité. Mais l'excellence scolaire est un piège confortable.

– Il le savait et m'en a parlé il n'y a pas bien longtemps, se permit de couper Marie.

Jean-Baptiste hocha la tête, heureux et surpris, et marqua un silence avant de reprendre.

– Ah ! tant mieux s'il a pu analyser les choses comme ça. Malgré lui, il m'a poussé vers ce type de métier où les enfants s'en vont loin de leur père... Je sais qu'il a souffert de cet éloignement après... et même peut-être souffert pour moi, pensé qu'il aurait dû me conseiller un autre chemin, qui m'aurait ressemblé davantage...

Et avec un sourire désinvolte, il ajouta :

– Qu'est-ce que ça veut dire, au fond, se ressembler ?

Marie jeta un coup d'œil discret vers Étienne, mais elle comprit qu'il ne parlerait pas, même si toutes ces choses devaient si profondément résonner en lui. Cette soirée-là était à Jean-Baptiste, pour que des mots lui viennent, des mots pour les autres et pour lui, des mots qui restent prisonniers et se libèrent avec la mort – comme si avec elle tout devenait facile. Et Jean-Baptiste parla tard, cette nuit-là.

Le lendemain fut de silence. Marie pensait que Jean-Baptiste voudrait aller seul disperser les cendres. Mais à la fin de la soirée, la veille, il avait dit :

– Je veux que vous soyez tous là, vous qui m'avez écouté ce soir avec tant de patience. Demain dix heures ?

Matinée crachineuse, étonnamment douce en plein

197

hiver. Petite procession vers la pointe, tout juste accessible au plus haut de la marée. Quelques mètres avant le bout, les autres qui s'arrêtent et Jean-Baptiste, très lentement mais sans excès de hiératisme, ouvre l'urne et fait voler les cendres vers la mer fermée. Marie frissonna. L'amitié, la chaleur des soirées, la musique, les livres aimés et les mots partagés, les rires si faciles, et puis cette poussière qui s'envole et se fond dans la brume. Est-ce que je voudrais ça pour moi ? Ou bien une pierre glacée dans un cimetière, quelques visites et puis très vite plus personne. Elle ne s'y voyait pas, ni dans l'urne ni sous la pierre. Elle ne s'imaginait pas demander à quelqu'un – à qui ? Étienne, peut-être – « J'aimerais que… ».

Elle se dit qu'il fallait simplement penser très fort aux gens, et tout au long de ce jour-là elle n'eut pas à se forcer pour être avec André.

Étrange journée, où ils se croisèrent comme des somnambules. Agnès levait des regards inquiets vers Marie, mais n'osait pas vraiment lui parler, esquissa juste à l'heure du départ un « Tu es sûre que ça va ? » Julie allait passer le printemps au Fahouët. Jean-Baptiste demanda s'il pouvait rester deux jours seul dans la maison – bien sûr, tu passeras donner les clés à Agnès.

Le trajet du retour vers Paris fut bien peu bavard entre Étienne et Marie. Quelques rares poids lourds sur la quatre-voies, au fond de la nuit. Marie passa sur le lecteur tous les disques qu'André préférait, le concerto de Bach en *fa* mineur – le mouvement lent lui mit les larmes aux yeux.

Elle s'en voulait d'avoir menti si longtemps à Étienne. Porte Champerret elle se lança enfin :

– Je voulais te dire, pour les mercredis avec Léa...

– J'ai toujours su.

Elle n'avait rien répondu, il n'y avait rien à dire. Touchée. Étienne avait gagné aux premières secondes du premier round. Un uppercut à la pointe du menton d'une perfection sauvage qui confinait à la douceur la plus extrême. Les jours qui suivirent, elle se demanda ce qu'elle admirait le plus, la confiance de Léa dans son père, l'amour d'Étienne pour Léa et pour elle. Était-ce une forme d'aveu ? Reconnaissait-il ainsi que *Le Fil* devait bien valoir ce pacte de silence ? Oui, pendant quelques jours elle l'espéra. Et puis, une semaine après, alors qu'elle se rendait à pied à la répétition, le concerto de Bach dans les écouteurs, elle comprit qu'on pouvait envisager les choses tout autrement. Peut-être Étienne voyait-il dans sa passion une forme de maladie qu'on ne pouvait affronter brutalement, parce que c'était sans doute la seule chose qui donnait encore sens à la vie de sa mère. Peut-être trouvait-il que Léa était déjà bien plus solide que Marie, qu'elle risquait moins, qu'elle pouvait presque l'assister ? Ce beau silence était-il tout d'amour, ou de pitié ? L'engouement de Léa pour *Le Fil* était aussi un piège. Si le projet échouait... Marie songea qu'elle n'aurait plus de raison d'exister devant sa petite-fille.

Elle s'était arrêtée devant l'écluse du canal Saint-Martin, hagarde. Mais elle se reprit, serra sa cape de laine sur ses épaules, et repartit à grandes enjambées – elle avait toujours marché ainsi, tout le monde disait qu'il était impossible de la suivre. Elle avait l'idée d'une étape décisive pour le spectacle. Tout était prêt, ou presque. Elle sentait qu'il ne fallait plus attendre trop longtemps, que l'équilibre de sa troupe tenait lui aussi du funambulisme. Elle voulait envisager au plus vite une soirée de présentation à tous les responsables de salle qu'elle pourrait rassembler. Elle comptait sur son expérience des services de presse, sur toutes les connaissances qu'elle avait glanées au fil des années. Bien sûr, l'édition n'était pas le théâtre, mais, sans être une femme de réseaux, elle connaissait du monde à Paris, des gens susceptibles d'intercéder pour elle ou de lui fournir des coordonnées précieuses.

Elle n'aurait pas pensé que ce combat fût aussi difficile. En dehors des répétitions, elle y passait depuis dix jours le plus clair de son temps, y consacrait toute son énergie. La date prévue avait d'abord fluctué en fonction des promesses et des désistements. Souvent, elle avait senti que la prétendue impossibilité de venir tel jour était un prétexte, mais maintenant elle ne pouvait plus différer. Cela serait le mercredi 27 mars, et Léa serait là pour lui porter chance.

Cela tenait de la gageure, et elle en avait bien conscience. Faire venir des responsables de théâtre au sommet d'une tour inhabitée assister à un spectacle écrit et mis en scène par une néophyte avec des acteurs inconnus. Mais c'était peut-être là leur chance aussi. Après tout, les gens de théâtre ne pouvaient être de simples gestionnaires.

Elle s'était creusé longtemps la tête pour savoir quel éclairage adopter. Cet aspect du spectacle serait déterminant, s'il était réellement monté. En attendant, elle décida de s'en tenir au minimum, une poursuite et trois spots actionnés à tour de rôle ou ensemble par Léa – quelle bénédiction qu'elle n'ait pas classe ce jour-là ! Elle se disait que l'obstacle ne serait pas là, que les directeurs de salle seraient davantage séduits si le spectacle ne présentait pas un aspect définitif, s'il laissait place à leurs propres suggestions.

Et après la représentation ? Ses moyens financiers ne lui permettaient guère d'envisager un cocktail conséquent. Elle préféra s'en tenir à une sangria artisanale. Olivia et Micka proposèrent de tartiner des canapés – d'accord, mais sans excès, n'y passez pas des heures, vous allez avoir tant besoin de vous concentrer, ce soir-là...

Oui, l'enjeu était capital. Avoir pu fixer cette échéance l'avait d'abord galvanisée, et à présent la date obsédait ses insomnies. Seraient-ils assez prêts ? Elle recensait tous ceux qui avaient donné leur accord, ou promis de déléguer un assistant. Cela ferait un public d'une petite cinquantaine de personnes, quatre-vingts au maximum. Un public froid, un peu comme le jury au Conservatoire, quand bien même *Le Fil* emporterait leur conviction intérieure. Pourvu que des ondes glacées ne gèlent pas ses comédiens ! Elle leur avait parlé de cette difficulté supplémentaire, mais ils savaient.

Elle n'insista pas. Quand les trois coups retentiraient, elle ne pourrait plus rien faire. Juste regarder Micka, Olivia, Jeanne, Louise et Joseph avancer sur le fil. Et jouer sa vie.

Elle n'avait pas voulu les accueillir par un long préambule. Le spectacle parlerait pour lui-même, bien mieux que tous ses mots. Bien sûr, sur le palier du dernier étage, elle les avait salués, le cœur battant chaque fois que l'ascenseur était appelé, remontait. À dix-huit heures quinze, elle ne pouvait plus attendre. Une cinquantaine de spectateurs, représentant peut-être une quarantaine de salles – certains étaient venus accompagnés. Étienne et Sarah étaient là, et Marie eut les larmes aux yeux en les découvrant.

La journée avait été étrange, et toute la troupe l'avait vécue comme elle, dans un calme surjoué qui cachait mal l'angoisse de l'enjeu. À treize heures, ils étaient descendus faire une pause déjeuner dans le bistro du coin. Ils étaient restés en terrasse, étonnés

de la douceur de l'air, de l'éclat du soleil. Le premier jour de printemps, et comme toujours à Paris
cette souplesse immédiate, ce bien-être palpable dans
la démarche des passants, dans tous les gestes cet
acquiescement. Oui, la vie paraissait si facile, si
évidente à boire. Mais eux n'étaient pas vraiment là.
Malgré elle, Marie se répétait ce vers qu'elle aimait
tant : « … et comme l'espérance est violente » ; les
mots d'Apollinaire n'étaient pas ponctués, et l'espoir
en elle demeurait de même infini, suspendu et cruel.
Pour vivre vraiment, il faut s'éloigner de la vie.

Surtout, ne pas les regarder. Ne pas guetter les
réactions. Elle s'était donné cet ordre, mais elle n'eut
pas besoin de se forcer. Pour la première fois, elle
vivrait *Le Fil* sans jamais l'interrompre. C'était son
spectacle et ce n'était plus le sien. Elle se sentait flottante, détachée. En apesanteur. Peu à peu un sourire
lui vint, un sourire grave et surpris, comme si elle
découvrait. Jeanne et Louise n'avaient jamais été si
belles. Elle n'éprouva pas le besoin de se secouer. Elle
était sous le charme, et se laissait emporter par cet
univers qu'elle ne maîtrisait plus. Aucune inquiétude
pour Léa. Elle connaissait toutes les séquences par
cœur, savait tous les enchaînements avec une certitude
implacable. Marie ne voyait plus évoluer des appren-

tis comédiens, avec leurs qualités et leurs défauts. Ils étaient leur personnage, leur rêve, leur idée. Elle avait rêvé de se fondre, de se diluer dans l'essence d'un spectacle, et c'était fait. Pas de crainte. Elle ne s'interrogeait même pas sur ce petit miracle qui l'enveloppait au moment le plus critique de l'aventure.

Aucun des comédiens – aucun des personnages – ne tirait la couverture à soi. Elle eut la chair de poule en découvrant tout à coup, comme de l'extérieur, le sens de ce théâtre différent. Micka, Olivia, Joseph, Jeanne, Louise : ils échangeaient sur scène ces prénoms qui n'étaient plus les leurs, mais ceux d'un rêve en mouvement. Une succession de petites épiphanies, peu de paroles. Chacun d'eux avait tout donné pour atteindre cette pureté de gestes. Et comme par magie, il n'y eut pas la moindre anicroche. Comment, c'était la fin, déjà ?

Il y eut un beau silence d'incertitude et de respect, et puis des applaudissements beaucoup plus que polis, et Marie, en s'inquiétant de la réalité de leur ferveur, se rendit compte tout à coup qu'elle était redescendue sur terre. Rendue à l'inquiétude. Avec ses comédiens, elle échangea très vite des regards intenses, quelques étreintes discrètes et comme avortées – surtout, ne pas donner aux gens de théâtre le sentiment qu'ils pensaient avoir triomphé. Quelque part au plus profond d'eux-mêmes, ils savaient tous cependant qu'ils avaient gagné, que quelque chose s'était passé, quelque chose de vibrant, de chaud et de précieux, tout en haut de l'immeuble désert. Étienne fut gentiment chaleureux, et vite ils emmenèrent Léa – demain, il y a classe ! Beaucoup de directeurs de salle s'échappèrent, certains sans saluer Marie, d'autres s'en tenant à un bonsoir discret, d'autres encore lançant la phrase espérée sur un retour promis.

Les plus énigmatiques furent paradoxalement ceux qui restèrent, occupant le terrain avec des propos filandreux sur les initiatives plus ou moins comparables au *Fil*, évoquant avec une précision qui ne semblait pas de mise quelques anecdotes, et s'en tenant à des « ce qui m'a plu dans votre spectacle… » qui pouvaient passer aussi bien pour des restrictions que pour des louanges.

Pendant que cet insupportable babil social se prolongeait, Marie se sentait vaciller, jambes flottantes, les joues creusées, incroyablement fatiguée soudain. Quand le dernier invité eut refermé sur lui les portes de l'ascenseur, Marie embrassa longuement chacun des comédiens. Avant de la quitter, ils l'interrogèrent du regard. Et maintenant ?

– Maintenant, on attend.

Devenir une attente. Elle retrouvait l'intensité de cette journée où elle avait guetté le résultat d'Étienne au Conservatoire. Là, c'était aussi fort, aussi poignant, mais plus exaspérant encore, car il y eut presque une semaine à ne vivre que par ça. Est-on plus sage quand on n'attend rien, quand on n'est pas la proie d'un message en suspens, l'esclave d'un signal sonore sur un téléphone portable ? Marie ne le pensait pas. Depuis longtemps, l'idée du bonheur avait disparu. À présent, elle se sentait faite pour ça, pour cette souffrance qui était la vie même. Au-delà de son amour du spectacle, elle se disait qu'elle avait cette chance de ne pas être tentée par la sérénité, l'atonie. Elle attendait.

Plus d'une fois, au lieu de l'annonce escomptée,

c'étaient Joseph ou Micka, les deux plus impatients, qui tentaient de la joindre. Quel crève-cœur de leur répondre qu'il n'y avait rien encore. Un agacement aussi, comme si elle voulait habiter seule la mélancolique perfection de son espoir.

Il y eut, assez vite, quelques refus qui lui rappelèrent ceux des maisons d'édition : « Malgré les qualités réelles... les difficultés actuelles... nous ne pouvons envisager... » Le plus souvent, Marie restait prostrée dans son fauteuil, et buvait beaucoup trop de thé. Elle faisait semblant de se plonger dans la froideur clinique d'un polar suédois, mais la neurasthénie de Karin Alvtegen n'y pouvait rien. Elle attendait.

D'autres fois, elle partait arpenter les rues au hasard, insensible aux averses. Elle commençait à faire le compte des refus. L'espérance devenait peau de chagrin, se focalisait sur quelques salles encore muettes. Le week-end fut de silence absolu. Et le mardi, en fin de matinée, pendant qu'elle faisait son marché boulevard Richard-Lenoir...

Le théâtre des Déchargeurs, à Châtelet. Une salle qu'elle connaissait bien. Cent cinquante places. Le directeur s'excusait au téléphone de ne pouvoir programmer *Le Fil* dans la saison déjà complète. Mais cet été... tout juillet libre... J'ai une autre création en août... Marie dut s'accrocher au bord de l'étal de son fruitier, répondre d'une voix blanche : Mais non, juillet, c'est parfait. Je peux passer tout de suite si vous voulez, je suis à un quart d'heure à pied ?

Elle hésita à envoyer un SMS commun aux cinq acteurs, résista au plaisir de les appeler l'un après l'autre. Finalement, elle décida de leur proposer une répétition pour le soir même, sans rien leur dire. Il faut que tu te calmes, se dit-elle. Juillet, ça ne sera pas simple pour avoir des critiques. Mais bon, certaines émissions d'été seront plus accessibles. Et puis, un mois entier, le bouche-à-oreille peut avoir le temps de s'installer...

Sur le chemin qui la conduisait à la tour, elle mit ses écouteurs. Les films de Delerue, pour la millième fois. Et ce soir-là, *Le Roi de cœur*, de Philippe de Broca. Cette musique lente, qu'elle se repassa en boucle, en souriant. Dans *Le Roi de cœur*, la ville en guerre est désertée par ses habitants. On a laissé les fous dans leur asile. Ils sortent, envahissent les rues, et tout devient plus beau. Note à note, cette sérénade la réconfortait. C'est tellement plus beau, la vie qui invente l'envers.

Micka et Olivia l'attendaient au pied de la tour. Joseph les rejoignit très vite. Dans l'ascenseur, elle croula sous une avalanche de questions. Elle s'était promis d'attendre qu'ils soient tous réunis pour leur annoncer la nouvelle. Mais elle ne pouvait s'empêcher de rire, et ils la percèrent vite à jour. Elle dut avouer ce qu'ils avaient déjà deviné. Dans la salle de répétition, Micka sautait partout.

– Un mois entier en plein Paris ! Wouah !!!

Joseph et Olivia le regardaient en souriant, les yeux brillants. Quand Jeanne et Louise arrivèrent à leur tour, et s'étonnèrent, Micka redoubla ses entrechats, puis enchaîna des roues dans la diagonale de la salle. Ils attendirent qu'il se fût calmé. Alors, dès que Joseph eut commencé à expliquer, cette seconde terrible où tous les trois guettaient la joie dans le regard de Jeanne et de Louise et ne lurent que la gêne. Un coup de froid brutal. Jeanne qui prenait sa tête dans les mains, et la voix terrifiée de Louise.

– Non, en juillet on ne peut pas... Antoine a un projet de film avec un réalisateur anglais, une histoire dans l'univers des peintres préraphaélites. Il l'a convaincu de nous donner à toutes les deux un rôle très important, deux sœurs qui seraient le modèle préféré de son héros. On ne voulait pas vous en parler, par superstition, et puis cela devait se faire beaucoup plus tard...

Dans le silence, Jeanne poursuivit faiblement :

— Nous sommes désolées... Pour la salle, si le directeur est intéressé on peut peut-être jouer *Le Fil* plus tard...

— Parce que tu crois qu'on trouve un lieu à Paris comme ça ? explosa Joseph.

— Vous n'avez qu'à lui dire non, à votre Antoine ! lança Olivia.

Micka demeurait hébété, incapable d'articuler un mot.

Marie était restée muette jusqu'à présent. Sa voix monta tout à coup, étrangement calme et déterminée.

— Non, elles ne peuvent pas manquer ça. Et pour *Le Fil*... On y arrivera, on y arrivera...

Il y eut des mots ravalés, de longs silences, des regards noyés. Joseph ne voulait pas quitter Marie, lui proposa de la raccompagner.

— Non, Joseph, je t'en prie. Je veux juste rester un peu seule.

Il semblait si inquiet.

— Ça ira très bien mon grand, ne t'en fais pas.

Elle sait qu'elle a perdu. La chance était infime.

Jeanne et Louise n'ont fait que précipiter sa défaite. Il n'y a que des destins singuliers, au théâtre et partout. Elle remet ses écouteurs. Chaque vie mérite sa musique. La mélodie du *Roi de cœur* est sa musique. Elle dit que tout est beau quand la folie commence. Mais la folie ne gagne pas. À la fin du film, tous les magiciens d'un jour regagnent leur asile. Elle ouvre la porte vitrée sur la terrasse, et marche lentement. Elle s'accoude au bord du vide, allume une cigarette, la fume à bouffées si profondes. Là-bas cette autre tour, et le périphérique. Elle enjambe le garde-corps. Il n'y a pas de fil jusqu'aux lettres rouges Toshiba.

La crique minuscule, en contrebas du sentier des douaniers. La lumière est d'opale. Des chalutiers rentrent au Fahouët. Ils sont là tous les cinq, assis sur le sable, les genoux remontés aux épaules. Ils regardent la mer. Jeanne et Louise ont refusé leur film, quitté le cours d'Antoine. Tout à l'heure, ils iront dîner à *Climats*. Cette après-midi, la répétition avait des ailes, tout semblait si fluide, si léger. Le trois juillet, ils commencent aux Déchargeurs. Étienne et Léa seront là.

Paniers de fruits
Le Rocher, 1998

Le Miroir de ma mère
(en collaboration avec Marthe Delerm)
Le Rocher, 1998
et Gallimard, « Folio », n° 4246

Autumn
Le Rocher, 1998
et Gallimard, « Folio », n° 3166

Mister Mouse ou La Métaphysique du terrier
Le Rocher, 1999
et Gallimard, « Folio », n° 3470

Le Portique
Le Rocher, 1999
et Gallimard, « Folio », n° 3761

Un été pour mémoire
Le Rocher, 2000
et Gallimard, « Folio », n° 4132

Rouen
Champ Vallon, 2000

La Sieste assassinée
Gallimard, « L'Arpenteur », 2001
et « Folio », n° 4212

Intérieur : Vilhelm Hammershoi
Flohic, 2001

Monsieur Spitzweg s'échappe
Mercure de France, 2001

Enregistrements pirates
Le Rocher, 2004
et Gallimard, « Folio », n° 4454

Quiproquo
Le Serpent à Plumes, 2005
et « Petits Classiques Larousse », n° 161

Dickens, barbe à papa
et autres nourritures délectables
Gallimard, 2005
et « Folio », n° 4696

La Bulle de Tiepolo
Gallimard, 2005
et « Folio », n° 4562

Maintenant, foutez-moi la paix !
Mercure de France, 2006
et « Folio », n° 4942

À Garonne
Nil, 2006
et « Points », n° P1706

La Tranchée d'Arenberg
et autres voluptés sportives
Panama, 2007
et Gallimard, « Folio », n° 4752

Au bonheur du Tour
Prolongations, 2007

Coton global
Circa 1924, 2008

Ma grand-mère avait les mêmes
Les dessous affriolants des petites phrases
« Points Le Goût des mots », 2008 et 2011

Quelque chose en lui de Bartleby
*Mercure de France, 2009
et Gallimard, « Folio », n° 5174*

Le Trottoir au soleil
*Gallimard, 2011
et « Folio », n° 5403*

Écrire est une enfance
*Albin Michel, 2011
et « Points », n° P2976*

Je vais passer pour un vieux con
et autres petites phrases qui en disent long
*Seuil, 2012
et « Points », n° P3230*

Les mots que j'aime
« Points Le Goût des mots », 2013

EN COLLABORATION AVEC MARTINE DELERM

Les chemins nous inventent
*Stock, 1997
et « Le Livre de poche », n° 14584*

Fragiles
*Seuil, 2001 et 2010
et « Points », n° P1277*

Les Glaces du Chimborazo
Magnard Jeunesse, 2002, 2004

Paris, l'instant
Fayard, 2002
et « Le Livre de poche », n° 30054

Elle s'appelait Marine
Gallimard Jeunesse, « Folio Junior », n° 901, 2007

Traces
Fayard, 2008
et « Le Livre de poche », n° 32381

POUR LA JEUNESSE

C'est bien
Milan, 1995
et Milan poche, « Tranche de vie », n° 37

En pleine lucarne
Milan, 1995, 1998
Gallimard, « Folio Junior », n° 1215

Sortilège au Muséum
(illustrations de Stéphane Girel)
Magnard, 1996, 2004

La Malédiction des ruines
Magnard, 1997, 2006

C'est toujours bien !
Milan, 1998
et Milan poche, « Tranche de vie », n° 40

Ce voyage
Gallimard Jeunesse, 2005

RÉALISATION : NORD COMPO À VILLENEUVE-D'ASCQ
IMPRESSION : NORMANDIE ROTO S.A.S À LONRAI
DÉPÔT LÉGAL : AVRIL 2014. N° 105652 (1400577)
Imprimé en France